ちくま新書

友だち地獄

——「空気を読む」世代のサバイバル

土井隆義
Doi Takayoshi

710

友だち地獄——「空気を読む」世代のサバイバル【目次】

はじめに　007

『野ブタ。をプロデュース』の世界／教室はまるで地雷原／本書の構成

第一章　いじめを生み出す「優しい関係」　015

繊細な気くばりを示す若者たち／友だちとの衝突を避けるテクニック／立場が入れ替わりやすい現代のいじめ／消えた観客層の生徒たち／無関心層の自覚されざる利得／浸透していく「優しい関係」の重圧／いじめを遊びのモードで覆う理由／つながりあうネタとしての少年犯罪／個性化教育の意図せざる結果／「大きな生徒」となった教師／若者はなぜ「むかつく」のか／「優しい関係」を傷つける「KYさん」／見当違いな「規律の乱れ」言説

第二章　リストカット少女の「痛み」の系譜　053

高野悦子と南条あやの青春日記／自分と対話する手段としての日記／ウェブ日記を書く若者たちの心理／自分をつなぎとめる思想と身体／若者の対抗文化と世代闘争の消失／抽象的な他者と具体的な他者／それぞれの自傷行為が語るもの／「変わりゆく私」から「変わらない

私」へ／人間関係における二つの息苦しさ／「自律したい私」から「承認されたい私」へ／束縛感と浮遊感をめぐる生きづらさ／日記に書き込まれた「本当の自分」／「より望ましい自分」をめぐる格闘

第三章　ひきこもりとケータイ小説のあいだ　095

「自分の地獄」という悪夢／「優しい関係」という大きな壁／コミュニケーションへの過剰な圧力／脱社会的な純愛物語の大流行／純度一〇〇パーセントを願う若者たち／生まれもった純粋さへの憧れ／「善いこと」から「いい感じ」へ／「純粋な自分」というパラドクス／「分かりあえない」を前提とした関係／遮断されるコミュニケーション回路／「まなざしの地獄」の新たな位相／まなざしの不満、まなざしの不安／自分を見つめてほしい若者たち

第四章　ケータイによる自己ナビゲーション　139

ケータイはもはや電話機ではない／「ふれあい」のためのメディア／触覚器官としてのケータイ端末／身体性を強調するコミュニケーション／リセット可能なネット上の関係／ケータイ・メールによる地元つながり／自己確認のための常時接続ツール／不安の強さが生み出す

過剰反応／「優しい関係」に孕まれたジレンマ／ジレンマを克服するケータイ空間／メールでつながる「本音の関係」／自己承認をケータイする若者たち／プロフという自己紹介サイト

第五章　ネット自殺のねじれたリアリティ　177

ネット集団自殺がみせる不可解さ／現実世界のリアリティの希薄さ／相対化の時代の絶対的な拠り所／死のイメージをまとうゴスロリ少女／現実回帰のためのトラウマ物語／人間関係の多元化とリアリティの喪失／市場化するコミュニケーション能力／リアリティの確保をめざした内閉化／現実らしさを阻害する「優しい関係」／自己期待値の高さと自己肯定感の脆さ／自殺衝動でつながった高純度の関係／「スタジオの観客」と「泣き女」／現実世界とネット世界の融合／ネット空間へ染み出す「優しい関係」

おわりに　223

「自分らしさの檻」からの脱出へ／生きづらさと正面から向きあう／比類なき「優しい」人びとの時代

イラストレーション＝宮本鉄兵

「どうすれば身近な人間を好きになれるのか、おれはいちどだって理解できたためしがないのさ。おれに言わせると、身近な人間なんてとうてい好きになれない、好きになれるのは遠くにいる人間だけ、ってことになる」

ドストエフスキー『カラマーゾフの兄弟』（亀山郁夫訳、光文社古典新訳文庫）より

はじめに

†『野ブタ。をプロデュース』の世界

文藝賞を受賞した白岩玄の小説『野ブタ。をプロデュース』は、学校という閉鎖的な日常空間において、今日の高校生たちが繰り広げる人間関係の駆け引きと、その繊細な心理のあやを巧みに描いた作品である（河出書房新社、二〇〇四年）。登場人物に多少の変更が加えられたものの、テレビでもドラマ化されて大ヒットした。主人公の修二は、転校してきたいじめられっ子の生徒をキャラの巧みな演出によって人気者へとプロデュースしていく。しかし、その過程で自らのキャラの演出のほうが疎《おろそ》かになり、いつしか自分だけが周囲から浮いてしまう。

キャラの演出を心がけているのは修二だけではない。クラスメートたちの多くは、互いの人間関係を円滑にこなしていくため、日々の自己演出に余念がない。たえず場の空気を読みながら、友人とのあいだに争点をつくらないように心がけている。そこには、異様と

も思えるほど高度に配慮しあう若者たちのすがたと、そのために互いの反感が表に出ないように押し込められ、人間関係の重圧感がひしひしと増していく様子がリアルに描かれている。

親友とは何かと問われたとき、従来なら、互いの対立や葛藤を経験しながらも、訣別《けつべつ》と和解を幾度も繰り返すなかで、徐々に揺るぎない関係を創り上げていけるような間柄と答えることができただろう。しかし、この小説に登場する若者たちのあいだでは、その人間関係が決定的な打撃を受けるクライマックスの瞬間まで、互いの対立点が表面化することはない。これは、従来の友人関係とは原理を異にしているように思われる。

『野ブタ。をプロデュース』に描かれているような対立の回避を最優先にする若者たちの人間関係を、本書では「優しい関係」と呼んでおきたい。それは、精神科医の大平健が指摘するように、他人と積極的に関わることで相手を傷つけてしまうかもしれないことを危惧する今風の「優しさ」の表われだからである（『やさしさの精神病理』岩波新書、一九九五年）。それはまた、他人と積極的に関わることで自分が傷つけられてしまうかもしれないことを危惧する「優しさ」の表われでもある。いずれにせよ、かつての若者たちにとっては、他人と積極的に関わることこそが「優しさ」の表現だったとすれば、今日の「優しさ」の意味は、その向きが反転している。

†教室はまるで地雷原

現在の若者たちは、日本青少年研究所の所長である千石保が「マサツ回避の世代」とも呼ぶように、「優しい関係」の維持を最優先にして、きわめて注意ぶかく気を遣いあいながら、なるべく衝突を避けようと慎重に人間関係を営んでいる（『マサツ回避の世代』PHP研究所、一九九四年）。しかし、このような互いの相違点の確認を避ける人間関係は、その場の雰囲気だけが頼りの揺るぎやすい関係でもある。だからそこには、薄氷を踏むような繊細さで相手の反応を察知しながら、自分の出方を決めていかなければならない緊張感がたえず漂っている。

このような人間関係の息苦しさは、ある中学生が創作した「教室は たとえて言えば 地雷原」という川柳にも巧みに表現されている。しかし彼らは、その人間関係から撤退する選択肢をもちあわせていない。なぜなら、たとえ息苦しいものだとしても、その人間関係だけが、彼らの自己肯定感を支える唯一の基盤となっているからである。

かくして彼らは、教室のいたるところに埋設された地雷を踏むことのないように細心の注意を払いながら、互いの配慮の視線をさらに繊細なものへと高めていく。互いの反感が露呈してしまわないように、対立の要素を徹底的に排除しようとし、さらに高度な気遣いをともなった人間関係を営んでいく。ここには、人間関係への過剰な期待と、それがもたらす過剰な重苦しさをめぐって、相互に補強しあうような関係が成立している。

評論家の山本七平がかつて説いたように、私たち日本人にとって「「空気」とはまことに大きな絶対権をもった妖怪」でありつづけてきたが（『「空気」の研究』文藝春秋、一九七七年）、とりわけ今日の若者たちのあいだでは、「優しい関係」を媒介にその絶対権がさらに高まり、急速に先鋭化しつつある。「優しい関係」が営まれる場の空気の決定権を握っているのは、そこに参加している一人ひとりの個人ではない。ましてや、その場を取り仕切るリーダーなど最初から存在していない。そうではなくて、「優しい関係」そのものが、空気の流れを決定する圧倒的な力をもっているのである。

†本書の構成

本書では、現在の若者たちが人間関係のキツさに苦しみ、そのサバイバルの過程で抱え込んでいる生きづらさの内実へと迫るにあたって、この「優しい関係」を導きの糸にしたい。ここで、本書全体の見取り図を簡単に示しておこう。

第一章「いじめを生み出す「優しい関係」」では、学校という日常空間のなかで、今日の生徒たちがどのような人間関係を営んでいるのか、いじめという問題を素材にしながら探っていく。そこから見えてくるのは、人間関係をマネージメントしていくためにコミュニケーションへ没入せざるをえない若者たちのすがたであり、そこから生まれる人間関係の重さである。そして、その重さをやりすごすために編み出された人間関係のテクニックとして、いじめという行為が捉え直される。

第二章の「リストカット少女の「痛み」の系譜」では、もはや古典とすらいえる青春日記の一つ、『二十歳の原点』を残した高野悦子の生きざまと、軽やかながらも痛々しい文体のウェブ日記、『卒業式まで死にません』の著者として人気を博し、ネット・アイドルといわれた南条あやの生きざまを比較することで、人間関係をめぐる若者の生きづらさの歴史的な変遷を探っていく。そこから見えてくるのは、端的にいえば自律したいという欲求の強さから承認されたいという欲求の強さへの変遷であり、リストカットに象徴されるような、その背後にある自己と身体との関係の反転である。

第三章「ひきこもりとケータイ小説のあいだ」では、あるひきこもりの青年がウェブサイトに吐露した「自分の地獄」という言葉を手がかりにして、本書の前半で描いたような人間関係の特徴がどのような仕組みから成り立っているかについて考察する。ケータイ小説を中心とする純愛ブームに象徴されるように、現代の若者たちは純粋な自分や純粋な関係に対する憧れを強めている。しかし、一見すると正反対のように映るが、じつはそのことが人間関係への過剰な依存をもたらし、皮肉にもそこに偽りの感覚を生じさせてしまっている。

第四章の「ケータイによる自己ナビゲーション」では、純粋な関係への期待値の高さと、実際の関係に蔓延《まんえん》する偽りの感覚という、現代の人間関係に孕《はら》まれたジレンマを克服するために、携帯電話というコミュニケーション・メディアを巧みに使いこなす若者たちのすがたを描く。彼らは、いつ、どこにいても、ケータイ・メールでつながりあうことで自己承認を携帯し、自己の安定をはかろうとしている。彼らにとって、ケータイは、危うい人間関係のなかで自分の位置を知るための、いわば社会的GPS（グローバル・ポジショニング・システム）の装置として役立っている。

最後の第五章「ネット自殺のねじれたリアリティ」は、前章で描いたケータイ的つながりの延長線上に位置している。これまで、インターネット上に構築されたバーチャルな親密空間は、若者たちが純粋な関係を実感しやすい場所となってきた。しかし、それは同時に、この現実世界を偽りに満ちたものと感じとるメンタリティの裏返しでもある。ネット集団自殺は、実質的なコミュニケーションの欠落したところに純粋な関係が求められているという点で、コミュニケーションが過剰に煽られる現代社会を裏側から照らし出した現象である。その意味で、たとえ一過性の特異な現象だったとしても、いまだに検討すべき余地を多く残している。ここでは、現実らしからぬ現実から逃避し、より現実らしい現実へと〝サバイバル〟していくために、ネット空間というフィクションをあえて経由せざるをえない若者たちの心理的なメカニズムについて考察する。

人間関係にともなう生きづらさが本書のテーマだから当然だが、ここで考察の対象として取り上げた素材には、一般にネガティブな印象のものが多い。しかし私は、現代の若者たちのすがたを必ずしも否定的に捉えているわけではない。具体的な中身は異なるにしても、生きづらさに迷うのはいつの時代でも人間の本質である。その生きづらさの最前線に位置し、正面から向かい合うことができるのは、若者たちに与えられた特権ですらある。

生きづらさを抱えない人生など、思想家のS・ジジェクの言葉を借りれば、「カフェイン抜きのコーヒー」のようなものだろう。確かに解決すべき問題は多々ある。そのことを否定はしない。しかし同時に、個々の生きづらさに直面するなかで、人間らしく生きようとしている若者たちのリアルなすがたを、本書を通してぜひ知っていただきたい。

第一章

いじめを生み出す「優しい関係」

†繊細な気くばりを示す若者たち

今日の学校でいじめが行なわれるきっかけは、それこそ千差万別だろう。そこにはかつてと変わらない側面を見出すこともできる。現象の表層だけを眺めれば、事例の数だけ個別の理由があるともいえ、それらを幾らあげつらってもきりがない。しかし、最初のきっかけが何であっても、いったん始まると悪循環のスパイラルにおちいっていく現在のいじめには、個々の理由には解消されえない共通の特徴が、しかもこの時代に固有の特徴が潜んでいる。

現在のいじめには、日常的にその行為が繰り広げられていくまさにその過程において、他人との違いに対する感受性が研ぎ澄まされていくという独特のメカニズムが見られる。したがって、今日の若者たちの人間関係の特徴に迫るためには、いじめが始まる契機となった個別の事情を探ることよりも、その集団的な行為が継続的に展開されていくダイナミックな過程を探ることのほうが有意義だろう。

現代の若者たちは、自分の対人レーダーがまちがいなく作動しているかどうか、つねに確認しあいながら人間関係を営んでいる。周囲の人間と衝突することは、彼らにとってきわめて異常な事態であり、相手から反感を買わないようにつねに心がけることが、学校での日々を生き抜く知恵として強く要求されている。その様子は、大人たちの目には人間関係が希薄化していると映るかもしれないが、見方を変えれば、かつてよりもはるかに高度で繊細な気くばりを伴った人間関係を営んでいるともいえる。

このような「優しい関係」を取り結ぶ人びとは、自分の身近にいる他人の言動に対して、つねに敏感でなければならない。そのため「優しい関係」は、親密な人間関係が成立する範囲を狭め、他の人間関係への乗り換えも困難にさせる。互いに感覚を研ぎ澄ませ、つねに神経を張りつめておかなければ維持されえない緊張に満ちた関係の下では、対人エネルギーのほとんどを身近な関係だけで使い果たしてしまうからである。その関係の維持だけで疲れきってしまい、外部の関係にまで気を回す余力など残っていないからである。

こうして「優しい関係」は、風通しの悪くなった狭い世界のなかで煮詰まっていきやすい。そのような関係の下で、互いの対立点がひとたび表沙汰になってしまうと、それは取り返しのつかない決定的なダメージであるかのように感じられる。「今、このグループでうまくいかないと、自分はもう終わりだ」と思ってしまう。現在の人間関係だけを絶対視してしまい、他の人間関係のあり方と比較して相対化することができないからである。

†友だちとの衝突を避けるテクニック

友だちとの衝突を避けるために若者たちが多用するテクニックの一つは、いわゆる「ぼかし表現」だろう。「とりあえず食事とかする?」「ワタシ的にはこれに決めた、みたいな」といった断定を避ける表現や、「あ、そうなんだぁ」といった半独言・半クエスチョンと呼ばれる表現がそれである。彼らは、これらの表現を駆使することで自らの発言をぼかし、相手との微妙な距離感を保とうとする。

しかし、いくら相手の判断に踏み込まないつもりでいても、そして、いくら対立の芽をあらかじめ摘んでいるつもりでいても、おのおのが勝手に「そうなんだなぁ」と納得しているだけだから、そこにはおのずと限界がある。互いの思惑のずれはどうしても広がっていきやすい。新聞記者の織井優佳の言葉を借りれば、そこに成立しているのは「対話」ではなく「共話」だからである(「微妙な距離感で示す親疎」『朝日新聞』夕刊、一九九九年四月一九日)。

そこで、もっと積極的に対立点をぼかすために、互いの関心の焦点を関係それ自体から逸《そ》らしてしまう必要が生まれる。現代型と呼ばれるいじめの特徴はここに由来している。それは、互いのまなざしをいじめの被害者へと集中させ、自分たちの関係から目を逸らせてしまうことで、「優しい関係」に孕まれる対立点の表面化を避けようとするテクニックである。言い換えれば、対立の火種を抑え込もうと躍起になって重くなってしまった人間関係に、いわば風穴を開けるためのテクニックの一つである。

生徒間のいじめが社会問題の一つとして人びとの注目を集めるようになったのは、一九八〇年代の半ば頃からである。当時、いじめを苦にした子どもの自殺事件が相次いだことが契機となった。「昨今のいじめは、たんに発生件数が多いというだけでなく、かつてのそれとは性質を異にしている」といった見解が、一般の人びとのあいだに流布しはじめたのもこの頃である。また、青少年白書の非行カテゴリーに「いじめ」という項目が設けられたのも、ちょうど八五年度版からだった。

いじめが問題視されはじめた当初は、いじめの加害者と被害者の双方のパーソナリティの特徴が探られ、その類型化がさかんに行なわれた。そして、いじめの加害者にも被害者にも、それぞれ性格上の偏りが見られるという見解が一般に流布された。当初のいじめ問題は、いじめをする側とされる側の、個々の性格上の問題として語られたのである。当の生徒たちが発する言葉も、「いじめるやつは性格が悪い」「いじめられるのも性格が悪いから」といったように、個々の性格に問題を帰するものが多かった。こうして、いじめは「心の問題」として語られ、スクール・カウンセラー制度が導入される契機にもなった。

いじめが当事者たちの性格上の問題であるなら、加害者と被害者の関係は、ほぼ固定的なものとなるはずである。いじめに対するこのような見方は、当時のいじめの定義にも如実に反映されている。たとえば、当時の文部省によるいじめの定義は、「自分より弱いものに対して一方的に、身体的・心理的な攻撃を継続的に加え、相手が深刻な苦痛を感じているもの」だった。しかしその後、子どもたちの世界にきめ細かなまなざしが注がれるようになるにつれ、この定義では把握しきれない事例が多く見られることに気づく。現代のいじめは、いろいろな意味で非常に流動的な現象だということが分かってきたのである。

†立場が入れ替わりやすい現代のいじめ

現代のいじめの特徴としてまず注目されたのは、ある特定の生徒だけがいじめの被害に遭うわけではないということ、すなわち被害者の不特定性だった。生徒たちの日常世界をよく観察していくと、一般的にみて攻撃されやすい属性をもった生徒だけがいじめられるわけではないことが明らかになってきた。引っ込み思案がいじめられる一方で、出しゃばりもいじめられる。大人から見れば優等生のような生徒もいじめの対象となりうることが見えてきた。

さらには、いじめの加害と被害の関係が固定化されたものではなく、時と場合に応じて両者が容易に入れ替わる流動的なものだということも徐々に分かってきた。いじめの加害者には、かつてはいじめの被害者だった生徒も意外と多いし、逆に、かつてはいじめる側にいた生徒がいじめられる側に転じてしまったというケースもよく見受けられる。そして、両者の立場が容易に逆転しやすいというだけでなく、その境界線自体もじつに曖昧《あいまい》で、状況に応じて微妙に揺れ動くことが指摘されるようになった。

このような観点から眺めれば、いじめの加害者や被害者の特徴とみなされがちだった性格上の偏りは、いじめの原因というよりも、むしろそのいびつな人間関係を生きる過程で作られてしまった結果なのかもしれない。こうして、いじめに対する認識は徐々に変わっていく。その結果、二〇〇六年には、文部科学省によるいじめの定義からも、「自分より弱いものに対して一方的に、心理的・身体的な攻撃を継続的に加え」という文言が外され、「当該児童生徒が、一定の人間関係のある者から、心理的・物理的な攻撃を受けたことにより、精神的な苦痛を感じているもの」と再定義されることになった。

いじめの被害に遭う生徒は、あたかもロシアン・ルーレットのように気まぐれに次から次へと転じていき、固定化されることはむしろ稀であることが、国立教育政策研究所の滝充らによる大規模な調査からも明らかになっている（日本犯罪社会学会第三四回大会ミニシンポジウム「いじめ論議・再考」報告資料、二〇〇七年）。いじめがきわめて流動的な現象であり、その理由に客観的な根拠を見出すことが難しいのは、それが加害者や被害者の内面に固有のものとして存在するわけではないからである。あくまでも人間関係の重さを軽くするためのテクニックとして生まれたものだからである。

このように、今日のいじめは、性格上の偏りによって引き起こされるものではない。どこにでも、誰にでも起こりうる現象である。したがって、従来の差別とは性質を異にしている。差別の場合には、それを生み出す偏見が、外見や職業、生まれなどの外的な基準として存在する。しかし、今日のいじめの場合には、加害と被害の関係の流動性が示すように、その明確な基準が存在しない。むしろ、ささいな違いをなんとか探し出し、その拡大解釈を行なってまでも、いじめの根拠をあえて創り出そうとしている。

きわめて特殊なケースを除いて、いじめの加害者として特定の生徒を認定することが困難なのはそのためである。今日の被害者も、明日にはいじめの標的が他の生徒へと移って、今度は加害者の側へ回っているかもしれない。そんな状況のなかで、それでもあえて加害者を特定しようとすれば、場合によっては生徒全員ということにもなりかねない。いじめの主導権を握っているのは、いわば場の空気であって、生徒たちは誰もがそのコマの一つにすぎないからである。

†消えた観客層の生徒たち

昨今のいじめのもう一つの特徴は、それをただ黙って傍観しているだけの人間が非常に多いという点にある。そのような無関心層は、いじめの仲裁や阻止に入ろうとする者でもなければ、その様子を脇から眺めて楽しむ観客ですらもない。いじめがわが国で初めて大きな社会問題となった一九八〇年代には、いじめの被害者、いじめの加害者、それをはやしたてる観客、ただ傍観しているだけの無関心者と、中心から外延へ向けて四層構造になっている点に、現代のいじめの特徴があると指摘された（森田洋司・清永賢二『いじめ』金子書房、一九八六年）。しかし昨今では、第三層である観客の立場の生徒がほとんど見当たらなくなっている。

昨今の学校現場では、クラスが一つのまとまりとして成立しづらくなっている。数人程度の小さなグループの内部で人間関係が完結してしまい、クラス全体の統一性や一体感が生まれにくくなっている。授業中においてすら、ある生徒の質問をクラスの皆で共有することができず、まったく同じ内容の質問を別の生徒が直後に繰り返したりするという。社会学者の宮台真司が島宇宙化と呼ぶように（『制服少女たちの選択』講談社、一九九四年）、それぞれのグループが相互の交通手段を欠いて孤立したまま、クラスという大海に離れ小島のごとく点在している。

このように人間関係が狭くなっているのは、先ほど述べたような「優しい関係」の重圧が高まってきた結果、クラスの内部においてすら人間関係の相互交流が難しくなって、ごく狭い範囲での関係の固定化が進んでいるからである。ある中学生は、このような状況を形容して、「グループが異なれば、県が異なるみたいだし、クラスが異なれば、国が異なるみたい」と語っているが、まさに言いえて妙である。そして、いじめの構造から観客層がすっぽりと抜け落ちるようになってきたのも、このような事情によるところが大きい。

一九八〇年代のいじめには、まだクラスの全体でその雰囲気が共有される傾向が強かった。たとえば、東京都の中野富士見中学校で被害生徒が自殺するきっかけとなった「葬式ごっこ」も、クラスメートの全員が参加したわけではないにせよ、学校の教室が葬式会場に見立てられ、まさにクラスを舞台にして行なわれたものだった。しかし昨今のクラスは、かつてのような統一性を失った結果、いじめの演じられる舞台としては、ほとんど機能しなくなっている。そのため、いじめの加害者と被害者という直接の当事者から外れた生徒たちは、そのほとんどが無関心層になりやすい傾向にある。

しかし、ただ傍観しているだけの無関心層も、いじめに対して無関係な存在ではありえない。いじめの外側を覆う無関心層の厚さが、外部からいじめを見えにくくしているからである。無関心層に属する生徒たちの多くは、主観的にはいじめに対して距離を保っていると思っているが、彼らの示すその態度こそが、周囲からいじめを見えにくくしている。その意味では、いじめに積極的に関与していない無関心層の生徒たちも、その内側の層の生徒たちと同じく、いじめという現象の一部分をなしている。

†無関心層の自覚されざる利得

いじめの被害者は、所属するグループから完全に排除されたりはしない。むしろ、なかば仲間扱いされたままでいじめられる。なぜなら、仲間どうしの一致団結をはかって互いの絆を強めるための、敵役を担わされたスケープゴートではないからである。そうではなくて、むしろ集団内部の秩序をかき乱し、メンバー相互の関係をゆるやかな軽いものにすることで、鬱積《うっせき》した空気の内圧を下げるための触発剤だからである。とりわけ昨今は、親密な関係の成立する範囲が狭くなっているために、その傾向がさらに強まっている。

一方、無関心層の生徒たちは、たんに自らの意図しないところでいじめの舞台を用意し、その行為に結果的に加担してしまっているだけではない。「優しい関係」の維持という側面からみれば、四層構造にせよ三層構造にせよ、多層化した人間関係の奥深くにいじめが存在することで、もっとも恩恵を受けているのも、じつはこの無関心層の人びとである。

そこには、どこまで自覚的であるかは別にしても、無関心でありつづけることの潜在的な利得が隠されている。

先ほど指摘したように、いじめという行為は、その加害者と被害者のあいだに生じる対立点に目を向かわせることで、「優しい関係」を営んでいる人びとに孕まれた対立点を隠すという役割を果たしている。そして、互いの反発心を抑圧することで内面に押し込まれていた感情のエネルギーも、あるグループ内でいじめが行なわれている様子を安全な外野席から眺めることで、多少なりとも解放されることになる。

いじめを傍観するだけの生徒たちの多くは、自らが積極的にいじめの対象を選んでいるわけではない。どこに微妙な対立点を設定するのか、その判断は、特定のグループのなかのリーダー格の生徒が担っている。傍観者たちは、彼らのふるまいをただ外部から眺めているにすぎない。「優しい関係」の重圧下にいる人びとは、自らがじかに手を汚したりはしないのである。しかし、まさにそのことによって、自分たちの「優しい関係」の安定がはかられることになる。

かくして無関心層においては、いじめの責任も蒸発してしまう。二〇〇五年に、北海道滝川市でいじめを苦に自殺した小学生の同級生たちは、翌年になって遺書が公開されるに及んで、「俺たち、何もしていないのに悪くなっている」と語っている。ひとは、どんなにひどい結果を目の前にしても、そこへの関与が明白なものでなければ、なかなか自分の責任を自覚しにくいものである。しかも、実際にいじめの手を下す汚れ役は、特定の生徒たちが引き受けてくれている。彼らの存在のおかげで、無関心層の人びとは、「いじめになど自分はけっして加担していない」と言い張ることができる。しかし、そもそも責任(responsibility)が、応答(response)に由来するものだとすれば、本来なら積極的に介入すべき状況を目の前にして傍観者の立場を決めこみ、無関心な態度を取りつづけること自体が、じつは責任の放棄ともいえる。

†浸透していく「優しい関係」の重圧

昨今の少年たちは、日頃の人間関係にすら安心感を抱きづらくなっている。だから、仲間との関係が一時的にでも揺らぐことを極端に恐れてしまう。自分だけが浮いてしまうのではないかと不安におののいてしまう。その不安を打ち消すために、その場の空気をきちんと読んでノリを合わせ、仲間をシラけさせないようにいつも気を遣わざるをえない。互いの関係を維持する上で、集団の強固な絆という安定した後ろ盾がないから、いったん誰かをターゲットにしていじめが始まると、その空気の流れには誰も逆らうことができなくなってしまう。

このような状況下にいるという点では、いじめの直接の加害者もじつは同様である。昨今のいじめ自殺事件で、被害生徒の遺書のなかで名指しされたいじめの加害者の多くは、かつてほどの札付きの非行少年ではない。また、いじめを過熱させて、あからさまな暴行事件を起こすに至った少年たちですら、大人から見ればそれほどのワルには映らない。

たとえば、一九九〇年に茨城県勝田市の中学校で発生した集団暴行死事件の加害少年たちを知る人びとは、皆一様に「あんな事件をおこすような子たちじゃないのに」と言い、担当の弁護士も、「わたしの印象では、事件をおこした子どもたち一人ひとりは非常に素直で、それほど問題性があるとは思えない。授業中に居眠りしたり抜け出したりしていたが、積極的に授業を妨害するようなこともなかった」と感想を述べている。

また、二〇〇六年に福岡県でいじめを苦に中学生が自殺した事件では、いじめの実行者と認定された三人の生徒が暴力行為を理由に補導されたが、その「行為は偶発的で、更生に向けた働きかけを素直に受け入れ〔中略〕再非行の危険性も低い」との判断から、少年審判ではいずれも不処分となっている。そもそも、彼らを補導した警察も、「健全育成を願った措置で、処罰を求めるものではない」と当初からコメントしていた。

ここから見えてくるように、いじめる側の特定の生徒たちも、たまたま成り行きでその役を担っているにすぎない。その結果、「優しい関係」によって押し込まれた感情のはけ口を、意図せずして作り出すことになっているにすぎない。その意味では、かつての非行少年のような突出した存在ではなく、じつは無関心層の生徒たちと大差ない。彼らもまた、「優しい関係」の重圧下に置かれた存在なのである。

昨今のいじめは、傷害事件にまで発展したごく少数の極端な事例を除けば、あからさまに暴力的なふるまいとして表われることは少ない。むしろ、本人のいないところで隠れて持ち物を隠したり、あるいは本人の目の前でその存在を無視したりと、いわば静かで密《ひそ》やかなふるまいとして行なわれることのほうが圧倒的に多い。先に触れた滝らによる実態調査からも、それは明らかになっている。いじめが陰湿化しているといわれるのもそのためだろう。福岡県のいじめ自殺事件でも、共同暴行の容疑で生徒三人を補導した警察の幹部は、「三人はいじめの首謀者でもなかった。実行行為として切り取れる「いじめ」は今回の非行事実しかなかった」と吐露している。

しかし、一九九七年に長野県でいじめを苦に自殺した少年が、「ぼうりょくではないけど、ぼうりょくよりもひさんだった」という言葉を残しているように、そのダメージが暴力よりも少ないとはけっしていえない。「優しい関係」を生きる人びとにとっては、静かで密やかなふるまいのほうが、精神的なダメージはむしろ大きいともいえる。

史上最年少の一五歳で文藝賞を受賞した三並夏の小説『平成マシンガンズ』には、次のような描写がある（河出書房新社、二〇〇五年）。「あたしの身体には何ひとつ傷がないのだけど、だだっぴろい教室の中みんなはグループで固まり独りぽつんと机に向かうあたしに刺すような視線を送ってくるし友達には裏切られてしまっているし、何より独りでいることをハブられていることを見られるのが嫌で、そんなあたしをみんながどう思っているのか考えると恐怖だった。」

このようなメンタリティは、現代のいじめをめぐる流動性に、さらにもう一つの側面を与えることになる。遊びや悪ふざけといじめの境界線がはっきりしないという意味での流動性である。

†いじめを遊びのモードで覆う理由

現代のいじめを外から眺めていると、生徒たちのふるまいのどこまでが遊びで、どこからがいじめなのか見当がつきにくい。いじめと遊びの境界線がはっきりしないというだけでなく、ときには被害者の側もまた、その行為を楽しんでいるかのように見えることすらある。

中野富士見中学校のいじめ自殺事件では、屈辱的な仕打ちを受けていたにもかかわらず、「むしろおどけた振る舞いで応じたり、にやにや笑いを浮かべてこれを甘受していた」とされる被害生徒の態度をめぐって、その後の訴訟で一審と二審の判断が分かれた。また、いじめられていた生徒が仕返しに金属バットで相手を殴って重傷を負わせた岡山県の事件では、冷やかしやからかいを一年にわたって受けつづけていたにもかかわらず、ほとんど抵抗を示さなかった彼の態度をめぐって、いじめの認識が周囲にあったか否かが争点となった。

さらに、二〇〇六年に福岡県でいじめを苦に中学生が自殺した事件では、同級生たちから「きもい」「目障りだ」と言われつづけていたにもかかわらず、被害生徒はけっして笑顔を絶やさなかった。いじめていた側の生徒も、「笑っていたからいじめになるとは思わなかった」と弁明している。同年に、大阪府富田林《とんだばやし》市でいじめを苦に中学生が自殺した事件でも、同じ学校の生徒たちは、「あれはいじめじゃなくて、皆でやった「おちょくり」だ」と語っている。

「優しい関係」にとって、いじめは触媒のようなものである。だから、その関係を維持しようとする限り、加害と被害の関係は、生活空間の内部におのずと絞り出されてきてしまう。しかし、そのような軋《きし》んだ人間関係は、表面的に馴《な》れ合っているだけの「優しい関係」にとっては大きな脅威でもある。そのため、子どもたちは、その意味を転化させる作業を行なわざるをえない。いじめの外面を遊びのモードで覆うことで、その人間関係の軋《あつ》轢《れき》を巧みに隠そうとする。だから、大人たちがいじめの実態を把握しようとすると、遊びや悪ふざけとの区別がつきにくくなってしまうのである。

かくして「優しい関係」を営む子どもたちは、いじめて笑い、いじめられて笑う。傍観者たちもまた、それを眺めて笑う。互いに遊びのフレームに乗りきり、彼らが「いじり」と呼ぶような軽薄な人間関係を演出することで、いじめが本来的に有する人間関係の軋轢が表面化することを避けようとする。そのテクニックは、テレビのバラエティ・ショーなどから学ばれることも多い。互いに「いじり」あうことによって観客の笑いをとる芸人たちの言動は、彼らの教科書として機能している。

このように捉え直すなら、中野富士見中学校の被害生徒がいじめられてもにやにやと笑っていたことの含意もおのずと明らかになってくるだろう。彼は、二審判決が述べたように、「拒否的態度を示した場合に予想される、より激しいいじめを回避するための迎合的な対応」をとったわけでもなければ、ましてや一審判決が述べたように、「悪ふざけの対象としてクラスの注目を浴びることに対する面はゆさを感じた」わけでもないだろう。そうではなくて、いじめの意味を遊びのフレームへと転化させ、自分を茶化してみせることで、人間関係の軋みを覆い隠し、見るに忍びない自分のすがたを避けようとしていたのではないだろうか。自分の人生を冗談めかして眺める態度は、悲惨な境遇におかれた人間がしばしば見せるものであり、自分の尊厳を守るための心理的な反応の一つである。

しかし、その一方で昨今の子どもたちは、「優しい関係」を円滑に営むための高感度な対人レーダーをつねに作動させているから、周囲の人びとの何気ないふるまいにも敏感に反応することができる。そのため、目の前で起こっていることがたんなる悪ふざけではないことは、日常の人間関係の文脈から容易に察せられる。そして、遊びのモードでカモフラージュされ、その背後に押し込まれた軋轢の香りを、なおも鋭敏に嗅ぎ取ることができる。いや、むしろ遊びのモードでカモフラージュされているからこそ、その隙間からちらりと顔を覗《のぞ》かせる軋轢の香りに鋭敏に反応し、そこに大きな興奮と陶酔を味わうのだともいえる。あからさまな喧嘩を眺めている時よりも、たとえばプロレス観戦中に突如として始まった場外乱闘に対してのほうが、よほど観客は熱狂することだろう。ひとは、隠された意味の層があらわになろうとするまさにその瞬間にこそ、大きなカタルシスを覚えるものだからである。

†つながりあうネタとしての少年犯罪

ところで、いじめをめぐるこのような人間関係は、昨今の非行グループの特徴にも共通するものである。群れて行動する傾向にあるが統率力のあるリーダーは見当たらない、仲間のあいだに強い絆が存在しているわけでもない、あたかも遊びのようで加害意識や罪悪感がほとんど見受けられない、といった特徴である。

考えてみれば、非行少年だけが別世界を生きているわけではない。とりわけ昨今では、かつて非行少年たちが独自に育んでいた逸脱的な文化（非行サブカルチャー）が崩壊し、一般の少年との垣根は以前よりも低くなっている。グレーゾーンの拡大としばしば言われるように、両者の境界がもはや明確なものではなくなり、むしろ「普通の少年」による犯罪が人びとの耳目を集めるようになっている。

したがって、人間関係に対する安心感のなさという点においては、犯罪に手を染めてしまった非行少年たちも、一般の少年たちと大差ないといえる。かつてヤクザ映画などで描かれたロマン溢《あふ》れる任侠の世界は、今日の非行グループには見当たらない。人間関係に安心感を抱けないのは、彼らの自己肯定感の基盤が脆弱だからである。身近な人びとからの承認を得ることなくして、不安定な自分を支えきれないと強く感じているからである。だから、たとえ安心感の得られない人間関係だとしても、彼らがそこから自由にふるまうことは難しく、むしろその関係へ強く依存し、その維持に躍起となってしまう。

少年犯罪の集団化が社会問題となり、徒党を組んでいるように見える昨今の非行少年たちも、日頃の人間関係には安心感を抱いていない。そのために、グループ内の仲間に対して過剰なほどの気遣いを繰り広げている。他方、外部の人間に対してはほとんど無関心となってしまう。内部の人間関係の維持だけで完全に疲れはて、外部の人間にまで気を回すだけの精神的な余裕が残されていないからである。最近の非行少年には被害者に対する感受性が欠けているとよく批判されるが、それは他人に対して感情移入する彼らの能力が劣ってきたからではなく、集団内部の関係を維持することにその能力のほとんどが動員されてしまっているからである。

彼らにとって、仲間内の人間関係の維持はあまりにもエネルギーを要するものであるため、その関係の中身を吟味したり確認しあったりする余裕はなく、互いにつながっている時間をひたすら費やしていくだけで精いっぱいである。しかし、そのためには何かに一緒にコミットしていなければならない。そうしなければ、つながっている時間を保つことすらできない。彼らのあいだには、互いに協力して築き上げていく非行サブカルチャーという共通の基盤がもはや存在しないため、たとえ関係の重さが負担だとしても、いわば物理的につながっているしか術《すべ》がない。

他方で、グループの外側にいる人間は、互いに配慮しあう彼らの関係から外れた存在でもある。そのため、内弁慶ならぬ「外弁慶」と彼ら自身が表現するように、内部で互いにつながっている時間をただひたすら費やすためだけに、見知らぬ他人を襲うオヤジ狩りのような行為が繰り広げられることになる。だから、彼らの犯行には、社会や大人に対する反発といった色彩も見られなければ、じつは金が欲しいという動機もさほど強くはない。

多くの専門家が指摘するように、現実には少年犯罪が増加しているわけでもなければ、凶悪化しているわけでもない。むしろ、非行サブカルチャーが崩壊した結果、犯行のテクニックが先輩から後輩へと伝承されなくなり、手口の稚拙化が進んでいる。また、非行サブカルチャーに染まらなくなったために、いかにもワルっぽい荒れた形相の少年たちを街角で見かけることも少なくなった。それにもかかわらず、私たちの「体感治安」が悪化しているのは、現在の少年犯罪の意味が空洞化し、その「わけのわからなさ」が目立つようになっているからだろう。彼らの犯行は、互いにつながりあうためだけのネタの一つにすぎなくなっているのである。

かつての少年犯罪の多くが、社会の支配的な価値観に対する反動として、非行サブカルチャーを学習した結果だったとするなら、彼らの感受性は、まずもって自分たち仲間の外側にいる人びとへと、すなわち一般的な社会へと向けられていたことになる。そもそも、支配的な文化を押しつけてくる強圧的な社会の力をひしひしと感じていなければ、それに反発しようという動機も生まれないはずだからである。

ところが、昨今の非行グループは、もはや社会という敵を見失っている。一九八〇年代に活躍し、九二年に夭折したロック・シンガー、尾崎豊が歌った「十五の夜」には、「校舎の裏 煙草をふかして 見つかれば 逃げ場もない」という一節がある。これを聴いた現在のある高校生は、「わざわざ学校で吸わなければ問題にならないのに」と感想をもらしたという。煙草をふかすことは、学校や教師に体現された社会的な価値観への反抗の試みであり、したがって学校で吸ってみせることにこそ意味があったのだという当時の事情は、現在の若者には理解しがたいのだろう。

かくして、昨今の非行グループには、一般的な社会に対する反動としての非行サブカルチャーが成立しえなくなり、そのため集団の安定性も失われている。背骨を欠いた軟体動物は、その軟弱な身体を外部から守るために、しばしば固い外殻をもつが、昨今の非行グループも同様であって、その脆弱な人間関係をなんとか維持するために、外部の関係に対して固く殻を閉ざす傾向にある。その意味において、彼らの感受性は、まずもって仲間集団の内部へと向けられている。かつてとはその向きが反転しているのである。

このように、じつは非行少年たちも、一般の少年たちと同じく、自らの存在根拠の脆弱さを補うため、「優しい関係」の重圧下をやむなく生きている人びとである。傷つきやすく脆弱な自己の基盤を守り、その肯定感を少しでも増すために、「優しい関係」を巧みにマネージメントしていくことによって、仲間内での対立を避けようと躍起になっている。

†個性化教育の意図せざる結果

わが国の学校で、今日的な形態のいじめが問題化しはじめたのは、先ほど述べたように一九八〇年代からである。これは、それぞれの個性を伸ばして主体的に生きる力を育むべきだという新しい教育理念が、学校現場に導入された時期とほぼ重なっている。一般に個性化教育と呼ばれてきたこの教育理念の登場と、いじめの激増した時期が重なっているのは、けっして偶然ではない。

当時の臨時教育審議会は、具体的な知識・技能の伝達や、そのための態度の育成よりも、「生きる力」「考える力」「個性の重視」などといった明確な基準のないものを教育目標として打ち出した。教育目標の抽象化とでも呼ぶべき事態が、この頃から始まったのである。個性のあり方が教育の対象として真正面に据えられるようになったのは、少なくとも物質的には豊かな社会が到来し、時代が工業化から次の段階へと移ったからである。そのため、社会の求める人材が、画一的な大量生産を前提とした工場労働を担うような、均質な人間ではなくなったからである。むしろ多種多様な商品ニーズに応えうるような、創造的な感性をもった人間へと移ったからである。

教育政策の方針転換を受けて、わが国の学校現場はこの時期から個性主義へと大きく舵を切った。これは、「すべての子どもの学力を一律に伸ばす」政策から、「できる子どもとできない子どもの能力の違いを認める」政策への転換を意味していた。子ども全体の平均点を上げることをあきらめ、それぞれの能力に応じた教育を模索しはじめたのである。その後、一九九六年に答申を出した第一五期中央教育審議会も、「自分で課題を見つけ、自ら学び、自ら考え、主体的に判断し、行動し、よりよく問題を解決する資質や能力」の育成を提言した。画一的な知識を詰め込む従来の教育から脱却し、自ら主体的に学び考えさせる教育へと転換するように迫ったのである。

ところが、画一的な知識の伝達とは異なって、「生きる力」や「考える力」、あるいは「個性の重視」などには、いったいどんな課題をどこまで達成したらよいのか、明確な評価基準やその判断材料がない。必然的に、目標達成のための具体的な方策も分かりづらくなる。子どもたちは、自分の潜在的な可能性や適性を自らが主体的に発見し、それぞれの個性に応じてそれらを伸ばすように求められる。言い換えれば、一九八〇年代以降の子どもたちは、自分で自分の価値観を作り上げなければならなくなったのである。

個性化教育は、まだ白紙の存在である子どもを社会化する「教育」というよりも、すでに存在する素質の開花を手助けする「支援」という発想に近い。したがって、人間の成長という従来の考え方を相対化する契機ともなり、次章以降で考察するように、生まれもった自分の本質へのこだわりというかたちで、生得的な属性を過剰に重視するような態度の形成にもつながっていく。

こうして新しい教育理念の下で、子どもたちにはいわゆる「自分さがし」と、それに基づいた自己表現が期待されるようになった。それは、個性化教育を「心の教育」と呼びかえる言い方にも端的に表われている。いかに互いに議論を戦わせ、それぞれの立場を競えるかということよりも、いかに自分自身の率直な気持ちを表出し、それぞれが自分らしくふるまえるかに、教育のウエイトが移っていった。しかし、このような方向転換は、個々人の違いをある程度は抑圧しつつ、教師には教師としての役割を、生徒には生徒としての役割を期待するという、いわば公的役割が演じられる舞台空間として学校を位置づける従来の姿勢を否定することでもあった。

今日の「優しい関係」は、わが国の学校空間のこのような変質とともに広まってきた。そして、今日のいじめ問題も、このような人間関係の変質を背景に進行してきた。従来、教師と生徒の関係は、裸の人間どうしの関係というよりも、教師と生徒という役割を通じた形式的な関係の側面が強かった。だからこそ、学校は公的空間として機能しえてきた。しかし、学校が生徒に「自分さがし」を期待し、ストレートな自己表現を奨励するようになると、もはやそこは私的空間の延長と化してしまう。生徒どうしの関係においても、また教師と生徒の関係においても、内発的な衝動や直観にもとづいた感覚的な共同性が、望ましい人間関係のあり方として称揚されるようになってきたのである。

†「大きな生徒」となった教師

かつての教師と生徒のあいだにはタテの関係が強く働いており、社会秩序を体現する教師は、反発を含んだ生徒たちの視線を一身に集める存在でもあった。だから、学校内における対立軸も、まずは教師と生徒のあいだに設定されやすく、非行サブカルチャーが形成される土壌もそこにあった。したがって、かつての校内暴力は、まずは対教師暴力として表われることが多かった。見方を変えれば、生徒たちの攻撃的なまなざしが教師へと集中して向かっていた分だけ、生徒どうしの人間関係は相対的に風通しがよく、軽かったともいえる。

しかし、今日の教師には、教師らしく演じることよりも、裸の人間として生徒と対等の目線で付き合うことが求められている。また、いじめ問題がそうであるように、さまざまな問題の芽を早い段階に発見して、予防的に対処することも期待されている。そのため、場合によっては生徒の前に立ちはだかる壁の役割を引き受け、煙たい存在としてふるまうのではなく、生徒たちの人間関係の空気を敏感に読みとり、あらかじめトラブルを回避するためなら生徒の機嫌すらもとり、むしろ「大きな生徒」として彼らの人間関係に積極的に溶け込んでいこうとする教師が増えている。

このような傾向のなかで、教師と生徒のあいだのタテの関係は崩れ、焦点を失った対立軸も生徒どうしの関係のなかへと拡散し、それが今日のいじめ問題の土壌を形成するに至っている。教育心理学者の河村茂雄が行なった調査でも、教師が生徒に友だち感覚で接する「なれ合い型」の学級のほうが、教師が厳しく指導する「管理型」よりも、いじめが発生しやすいという知見が得られている（『データが語る①学校の課題』図書文化社、二〇〇七年）。しかも、一九九八年から二〇〇六年のあいだに、小学校では「なれ合い型」学級が倍増して半数近くを占めているのに対し、「管理型」学級は半減している。中学校では「管理型」学級が依然として主流ではあるが、「なれ合い型」学級も倍近くに増えている。

今日、学校を舞台に繰り広げられる生徒どうしの関係は、先ほど述べたように「自分さがし」をする人間どうしの赤裸々な関係であって、思想や信条のような社会的基盤を共有したものでもなければ、従来のような役割関係に支えられたものでもない。いわば直感的な感覚の共有のみに支えられた関係である。そして、内発的な衝動や直感といったものには、言葉によって作り上げられる思想や信条とは異なって、持続性も安定性もない。その感覚の共有を根拠とする関係は、その時々の状況や気分に応じて移ろいやすく、一貫性に乏しい不安定なものとなりがちである。

このような不安定な関係の下では、相手とのあいだに対立や軋轢が日常的に生まれる危険もまた高まってくる。かつてなら、互いの対立や軋轢が際立つことが少なかった浅い関係においてすら、昨今では、新たな葛藤が生じやすくなっている。「優しい関係」とは、主観的には対立の回避を最優先にする関係でありながら、皮肉にも現実には、潜在的な対立の火種を多く孕んでしまう関係なのである。

しかし「優しい関係」とは、対立の回避を最優先にする関係だから、互いの葛藤から生まれる違和感や、思惑のずれから生まれる怒りの感情を、関係のなかでストレートに表出することはままならない。むしろそれらを抑圧することこそが、「優しい関係」に課せられた最大の鉄則である。したがって、その違和感や怒りの感情エネルギーは、小刻みに放出されることによる解消の機会を失い、各自の内部に溜め込まれていくことになる。

†若者はなぜ「むかつく」のか

最近の若者たちは、「むかつく」という表現を頻繁に用いる。本来、「むかつく」とは、吐き気のような生理的な不快感を示す言葉である。しかし昨今は、かつて「腹がたつ」とか「頭にくる」などと表現していた精神状態に対して、すなわち対人関係にともなう社会的な嫌悪感を指して、この言葉を用いるようになっている。このような用法での「むかつく」が広まったのは、じつは一九八〇年代に入ってからである。『現代用語の基礎知識』にその意味が掲載されたのも、八五年版が最初だった。先に述べたように、いじめが社会問題となったのも八〇年代の半ば頃だったから、このことは、いじめ問題の高まりと「むかつく」人びとの増加とが、「優しい関係」という同じ根から生まれた現象であることを示唆している。

一般に、「腹がたつ」にしても、「頭にくる」にしても、自分の怒りを向けるべき相手を必要とする。しかし、相手に対して怒りを示せば、当然リアクションが返ってくるだろうから、それにも対処しなければならなくなる。つまり、怒りを表明することは人間関係を複雑にしてしまう。これは、互いの対立点の表面化を避けることで滑らかさを維持している「優しい関係」にとって大きな脅威だろう。

それに対して「むかつく」とは、たとえば「胃がむかつく」と表現するように、そもそも自分自身の生理的な反応をさす言葉であり、必ずしも他人の存在を前提としない。その意味で「むかつく」は、「腹がたつ」とか「頭にくる」などとは違って、「〜に対して」という対象を必ずしも前提としない自己完結した言葉である。昨今の若者たちは、他人とのあいだに軋轢や葛藤が孕まれやすい状況を生きているにもかかわらず、その他人と感情をぶつけあって対話を進めることができないまま、むしろそうした反感を抑え込まなければならなくなっている。そのため、現実に「むかつく」ようになっているのではないだろうか。

相手と対立する覚悟がなければ、人はとても本気で怒れるものではない。そして、本気であればあるほど、怒ることには多くのエネルギーを要する。したがって、怒れば不満のエネルギーはかなり発散されることになる。しかし、現在の「優しい関係」の下ではなかなか怒りを示すことができないため、じっさいに胸がつかえてスッキリとせず、「むかついて」しまうようになっているのだろう。このような用法について、教育学者の齋藤孝は、聞き取り調査を行なった学生の言葉を引用しながら、「怒りを爆発させにくい相手や状況において、こみあげたものが吐き出せないときに、「ムカつく」という感情はわきあがる〔中略〕「ムカつくは、基本的にその当人や事物に怒りを向けられなかった時、その後に使う言葉」」だと述べている(『「ムカツク」構造』世織書房、一九九八年)。

いじめに限らず、他人に対する否定的な態度が差別や偏見にもとづくものなら、たんなる生理的な不快感とは違い、言葉によって作り上げられた思想や信条の歪みにその根拠があるわけだから、その理不尽さについて言葉をつくして生徒たちに訴えることもできるだろう。しかし、生理的に「むかついて」しまうという相手に対して、「むかついてはいけない」と教育的な指導を行なうことは難しい。トイレへ行きたいと訴える生徒に対して、我慢しろと言っているのに等しいからである。当人たちも、自分の感情を言葉にして整理し、相対化することができないから、もやもやとした感情のエネルギーはどんどん溜まっていく。怒りの表明によってそれが小出しにされることもない。こうして、各自の内部に溜め込まれた感情のエネルギーは、その放出先を求めて、いじめのターゲットを探し回ることになる。

相手の事情を詮索《せんさく》して踏み込んだりしない、あるいは自分の断定を一方的に相手に押しつけたりしない、そういった距離感を保つ「相手に優しい関係」とは、ひるがえってみれば、自分の立場を傷つけかねない危険性を少しでも回避し、自分の責任をできるだけ問われないようにする「自分に優しい関係」でもある。だから、意図せずしてこの「優しい関係」の規範に抵触してしまった者には激しい反発が加えられる。いじめの対象もそのなかから選ばれるのである。

†「優しい関係」を傷つける「KYさん」

そもそも、意図せずして「優しい関係」の規範に抵触してしまうのは、それだけ互いのコミュニケーションへ没入できていないことの証拠でもある。したがって、そのこと自体が、「優しい関係」の維持にとって大きな脅威とみなされる。「優しい関係」は、強迫神経症のように過同調を互いに煽りあった結果として成立しているので、コミュニケーションへ没入していない人間が一人でもいると、その関係がじつは砂上の楼閣にすぎないことを白日の下に晒《さら》してしまう。王様が裸であることには皆が気づいているが、それを指摘するようなシラけた態度を誰も示してはならない。「優しい関係」を無傷に保つためには、皆が一様にコミュニケーションへ没入していなければならないのである。

このような意味において、昨今のいじめ問題は、誰もがコミュニケーションへ没入せざるをえない今日の人間関係のネガティブな投影でもある。昨今のマスメディアでは、コミュニケーション能力の未熟さから若者たちの人間関係が希薄化し、いじめをはじめとする諸問題の背景になっているとよく批判される。しかし、このように見てくると、実態はやや異なっていることが分かる。彼らは、複雑化した今日の人間関係をスムーズに営んでいくために、彼らなりのコミュニケーション能力を駆使して絶妙な対人距離をそこに作り出している。現代の若者たちは、互いに傷つく危険を避けるためにコミュニケーションへ没入しあい、その過同調にも似た相互協力によって、人間関係をいわば儀礼的に希薄な状態に保っているのである。

他方、昨今の学校では、体育祭や文化祭などの行事で生徒たちが異様なほどの盛り上がりを見せることも多い。皆で一体感を味わおうと熱く燃え上がり、ノリを大切にするその様子を眺めていると、かつての若者たちと同様に青春を謳歌《おうか》しているようにも映る。人間関係を意図的に希薄な状態に保とうとしている彼らの日常とは正反対の現象のようですらある。しかし、メンタルには本来ばらばらな人びとが、かろうじて互いのつながりを保つために、コミュニケーションへ没入しあうことで場の空気を敏感に読みとり、ふるまった結果であるという点では、じつは双方とも同じ根をもっている。

「優しい関係」の下では、対人距離をうまく測れずに近づきすぎることは、その相手に負担をかけることを意味する。逆に、ノリを合わせて盛り上がらなければならないときに一人だけ冷めた態度でいることも、対人距離をうまく測れていないという点では同じである。その場の空気を乱し、相手に負担をかけることを意味する。どちらの態度を示す者も「KYさん(空気が読めない人)」と呼ばれて疎まれ忌避されるのは、「優しい関係」に抵触する行為という点では同じであり、そのバリエーションにすぎないからである。学校行事を一緒に成し遂げた結果として自然に一体感が生まれてくるというよりも、むしろ一体感を味わうことそれ自体が自己目的化しているように見受けられるのも、なにを差し置いても「優しい関係」の維持こそが、彼らにとって最大の関心事となっているからだろう。

相手への負担の回避を最優先にするこのような傾向は、いじめについての彼らの語り口にも見受けられる。いじめの理由は、個人的なパーソナリティの問題として語られることがいまだに多い。「優しい関係」を維持していく上で、そのような語りが要求されているからである。たとえいかなる場合であっても、けっして相手を傷つけないように配慮しあうことが、「優しい関係」に要請されたルールである。そして、それを厳守することが、対人関係の地雷原でわが身を守っていく最善の策だと、彼らは互いに信じあっている。

いじめの被害にあった生徒たちも、そのターゲットとされた理由がこのルールへの不用意な侵犯にあることは熟知している。だから、そのルールをさらに侵してしまうことは何としても避けなければならない。自分の側に非があるかのような彼らの語り口は、相手を非難するとさらに攻撃を受けかねないからという側面も確かにあるだろうが、しかしそれ以上に、もうこれ以上ルールへの侵犯者とはみなされたくないという、彼らの切実な想いを表明している側面が強いと思われる。

二〇〇六年に岐阜県瑞浪《みずなみ》市でいじめを苦に自殺した中学生が残した遺書には、「本当に迷惑ばかりかけてしまったね、これで、お荷物が減るからね」とあった。〇五年に埼玉県北本市で自殺した中学生の遺書には、「クラスの一部に勉強にテストのせいかも」とあった。いじめを苦に自殺した生徒たちが残した遺書には、加害者の実名が挙がっていることはあるものの、彼らを非難する言葉はあまり見受けられない。自分は今まさに死を選ぼうとしているのに、その原因となった相手に対する憎しみや怒りの表現はあまり見当たらない。むしろ自責にも似た謙《へりくだ》りの言葉ばかりが並んでいる。それこそが自らに期待された語りであることを、じゅうぶんに察知しているからだろう。残された文面からは、そのやるせない心境が透けて見えるようである。相手との衝突の回避を至上命令とする「優しさ」の圧力は、遺書を通じて死後の世界にまで及んでいる。

†見当違いな「規律の乱れ」言説

いじめ対策として昨今とくに注目されているのは、いじめはけっして許さないという毅然たる態度を示すために、いじめの加害者を出席停止処分にするような強い措置を徹底すべきだという、たとえば教育再生会議の提言だろう。いじめ被害の深刻な生徒がしばしば転校を強いられているという事実からすれば、この発想はじゅうぶんに理解できる。加害者ではなく被害者にしわ寄せが行くような対処の仕方は、あまりに理不尽であって本末転倒ともいえるからである。

出席停止にした加害者にもじゅうぶんな教育的指導のケアがなされるなら、このような処分が有効なケースも確かにあるだろう。しかし、それはあくまで加害と被害の関係が固定化した特殊なケースに対する緊急措置にすぎず、あらゆるいじめに対する万能策ではない。特定の加害者を見つけ出して処分したからといって、それだけで問題の抜本的な解決に至るわけではない。現象の上面に引きずられることなく、その本質にまで迫ろうとするなら、そのような対症療法だけで終わりにせず、生徒たちがつねに晒されている人間関係のあり方にまで視野を広げていかなければならない。

今日のいじめ問題は、教育基本法の改正論議で問題とされたような「規律の乱れ」から生じたものでもなければ、一部の政治家が指摘するような個人主義の行き過ぎから生まれたものでもない。事態はむしろ逆である。肥大しすぎた個と個が衝突しあっているわけではなく、むしろ社会学者のD・リースマンが『孤独な群衆』（加藤秀俊訳、みすず書房、一九六四年）で他人指向型と呼んだような、個々の自律性を確保できずに互いに依存しあわなければ自らの存在確認さえ危うい人びとの人間関係から、そしてその関係自体が圧倒的な力をもってしまった病的な状態から生まれている。

では、若者たちのあいだに「優しい関係」が浸透したのが一九八〇年代だとすれば、その前後で、彼らの具体的な人間関係はどのように変質したのだろうか。そして、その変質は彼らの自己イメージとどのように関わっているのだろうか。次の章では、八〇年代という分水嶺の前後において、それぞれ思春期を過ごした少女によって書かれた日記の記述を手がかりとしつつ、その変化の様相を探っていきたい。

第二章
リストカット少女の「痛み」の系譜

†高野悦子と南条あやの青春日記

高野悦子の『二十歳の原点』(新潮社)は、いまから遡《さかのぼ》ることおよそ三〇年あまり、一九七一年に出版された彼女の青春日記である(図1)。当時、全共闘世代と呼ばれた若者たちの共感を呼び、翌年にはベストセラー第二位になっている。いまだに大学の書店などではお薦めの一冊として取り上げられることも多く、この三〇年間ずっと若者に読みつがれてきた青年文学の古典の一つである。

南条あやの『卒業式まで死にません』(新潮社)は、二〇〇〇年に出版された彼女の日記集である(図2)。高野ほどのベストセラーにはならなかったものの、『二十歳の原点』と同じく後に文庫本化され、現在も売れつづけている。日記のオリジナルがインターネット上にウェブ日記として公開されていたのは一九九〇年代の後半だが、当時は彼女自身も若者雑誌から取材を受けるほどの人気ぶりで、一部の若者たちからはネット・アイドルとして熱烈にもてはやされる存在であった。

図1

高野悦子は、一九六九年六月二四日未明の貨物列車に飛びこみ、即死している。二〇歳だった。『二十歳の原点』

図2

南条あや
卒業式まで死にません
女子高生南条あやの日記

は、彼女の遺した膨大な日記を父親が編集して出版したものである。一方の南条あやは、一九九九年三月三〇日、向精神薬を大量服用して中毒死している。一八歳だった。『卒業式まで死にません』も、彼女の死後にウェブ日記の存在を知った父親が編集して出版したものである。

　青年期と呼ばれる多感な季節に、高野悦子も、南条あやも、自ら死を選んだ。彼女たちは、その熱っぽい季節に特有の気だるさを共有していたのかもしれない。しかし、二人の生のあいだには、そしてその死のあいだには、三〇年という歳月が大きく横たわっている。彼女たちが感じた生きづらさには、それぞれの時代を超えた青年期に共通の特徴とともに、それぞれの時代に固有の特徴もまた色濃く反映されているにちがいない。

　そこで、この章では、彼女たちの日記を紐解《ひもと》いていくことで、その生きづらさの変遷を辿《たど》ってみたい。日記という閉じた世界のなかにも、社会の変化は投影されているはずである。本書の主題である現代の若者の生きづらさが、具体的にどのような特徴を備えたものであるかも、かつてのそれと比較することで、より鮮明に浮かび上がってくることだろう。

†自分と対話する手段としての日記

日記文学とよばれるジャンルのなかで大きなウエイトをしめるのは、作家の中野翠が「青春の葛藤もの」と名づける作品群である（「おそるべし、日記文学」『文藝春秋』七七巻一号、文藝春秋、一九九九年）。自己を見つめ、自己に悩むことの多い青春期に、その作品の層が厚いのは当然だろう。たとえ現在は日記と無縁の生活であっても、青年の一時期に日記をつけた体験をもつ人は多いにちがいない。

そして、中野も指摘するように、『二十歳の原点』は、その「青春日記」の最高峰の一つである。『卒業式まで死にません』の編集者も、「高野の日記が与えた感動をいまの若者にも再現したい」との熱意から、南条の日記の出版を企画したという。少なくとも出版社は、南条の日記を高野の日記の現代版と位置づけている。

日記は、たんなる出来事の記録ではない。高野は、日記にこう書いている。「私自身が感じたあらゆる怒り、悲しみ、嘆きを赤裸々にこのノートにぶつけよう。そしてそれだけでなく、思考のみちすじをここにしるそう。結果だけでなく、そう考えるに至った種々の感情の動き、出来事に対する微妙なめまぐるしくかわる心の動き、それらを記そう」（高野、一九六七年一月二二日。以下、高野悦子の日記からの引用は日付を記載する。出典は『二十歳の原点』(新潮社、一九七一年)、『二十歳の原点序章』(同、一九七四年)、『二十歳の原点ノート』(同、一九七六年))。

日々の出来事を列記しただけでは、すなわち自己に対する解釈が入っていなければ、備忘録にはなっても日記にはならない。日記の本質は、自己との対話にこそある。哲学者のフランシス・ベーコンは、このような日記の本質を見事に表現している(『ベーコン随筆集』角川文庫、一九六八年)。「妙なことだが、海の旅で、空と海しか見られないのに人は日記をつける。しかし、陸上の旅で、見ることが非常に多いのに、たいてい、それを除いてしまう。」

外界の刺激にとらわれるあまり、自己をふりかえる余裕のまったくないとき、人は日記など書かない。その意味において、日記は、いわば自己の分身である。「このノートが私であるということは一面真実である。このノートがもつ真実は、真白な横線の上に私のなげかけたことばが集約的に私を語っているからである」(高野、一九六九年六月二〇日)。

一方で、日記と自己の関わり方が、この三〇年のあいだに大きく変化してきたのも事実だろう。その変化は、日記の形式そのものにも反映されている。南条あやの日記にも見られるように、不特定多数への公開を前提としたウェブ日記の登場は、そのもっとも端的な例である。かつての日記の書き手からすれば、公開を前提とした日記など、とうてい本当の日記とは思えないはずである。

従来、たとえば永井荷風の『断腸亭日乗《だんちょうていにちじょう》』などのように、公刊が予定された日記は、作家の創作活動の一部ではあっても、日記としてはあくまで例外にすぎなかった。七歳から日記を書きはじめ、現在は七〇歳を超える日本日記クラブ会長の小谷信子は、「日記は自分のために書くもの。他人に見られることを意識したら、正直に書けない」と述べている(『日本経済新聞』夕刊、一九九九年五月二八日)。

†ウェブ日記を書く若者たちの心理

では、ウェブ日記は、本来の意味での日記ではないのだろうか。しかし、その書き手たちは、自らの文章もまた紛れもない日記だと主張するだろう。ほとんどのウェブ日記は、具体的な知人に対して公開されているわけでない。もちろん、誰にもアクセス可能である以上、知人が読む可能性もないわけではないが、むしろその書き手たちは、知人にはとても公開できないと思われるような内容を、自分に興味をもってくれる見知らぬ人びとに対して、ハンドルネームという匿名を使って公開している。南条あやという名前も、じつはハンドルネームである。

南条は、ある日、飛びおり自殺を思いとどまった理由を、「この日記を残して誰かに見られると思うと、とても死ねやしません」と日記に書いている（南条、一九九八年九月二日。以下、南条あやの日記からの引用は日付を記載する。出典は『卒業式まで死にません』（新潮社、二〇〇〇年）、メモリアルサイト「南条あやの保護室」）。この文章自体がネット上での公開を前提に書かれているのだから、矛盾した表現のように思われるが、彼女にとってはけっして矛盾ではない。ウェブ日記の読者は、彼女にとっての「誰か」には該当せず、小谷がいうような「見られることを意識した」他人ではないからである。

かつて青年心理学者の依田新は、告白性と秘密性の両義性にこそ日記の特徴があると指摘した（『青年の心理』培風館、一九五〇年）。この日記の両義性は、現代のウェブ日記においても失われていない。むしろ、秘密性を保ちながら告白の欲望をみたすという困難の克服を、インターネットというテクノロジーが容易にしたともいえる。

現実の世界ではプライバシーの保護にきわめて敏感な人びとが、ネット上では、非常に私的なことがらを赤裸々に公開してみせる。南条も、際限のない父親とのいさかいの様子や、ドラッグを吸引してトリップした経験などを、躊躇《ちゅうちょ》することなくあからさまに描写している。彼女にとって、ネット上の人間は、リアルな社会の人間とはまったく異なる存在である。ウェブ日記の書き手は、読者のためというより、自分のために日記を書き、自分のために公開しているのである。

もっとも、ここ数年で急速に普及したミクシィを代表格とするSNS（ソーシャル・ネットワーキング・サービス）上に置かれた日記は、その参加条件からして基本的に匿名を保ちにくいし、原理的には匿名を保ちやすいはずのブログ上に書かれた日記も、その機能に反して実名によるものが多くなってきている。南条がウェブ日記を匿名で公開していた頃とは、たった数年の差でありながら、ネットの世界は大きく様変わりしている。その含意については、後ほど第五章で論じることにしたい。

それにしても、たとえネット上とはいえ、告白の対象として他人が想定されるのはなぜだろうか。テクノロジーの発達がそれを可能にしたからだけではあるまい。かつての日記の書き手たちは、告白の対象を自身に設定することで、告白性と秘密性の両義性をすでに克服していた。そこには、告白をする自分とそれを受けとめる自分が同時に存在しえた。これは、自己を相対化することにほかならない。日記そのものを擬人《ぎじん》化して語りかけるというスタイルも、そのテクニックの一つだろう。「今日からこのノートを「小百合さん」とよびます。「小百合さん」にはかくさないでなんでもお話しします。永遠の友とします」（高野、一九六三年三月一三日）。

だとすれば、見知らぬ人びとへ語りかけるウェブ日記がはやる背景には、たんにテクノロジーの発達にとどまらず、その作者たちが有する他者イメージの変容と、さらにはそれをもたらした自己意識の変容があると考えてよいだろう。彼らの自己は、いわばネット上に溶け出しているのである。

†自分をつなぎとめる思想と身体

高野の日記には、学生運動といかに関わるべきかについて悩み、揺れ動く自己のすがたがまざまざと描かれている。それが、いわゆる七〇年安保の空気を共有した当時の若者に支持された所以《ゆえん》でもあるだろう。一方の南条の日記には、向精神薬への嗜癖《しへき》の悩みとともに、その薬によって身体感覚の変容するさまが詳細に描かれている。こちらは、いわゆるメンタルヘルスに興味を抱く現代の若者に支持された所以でもあるだろう。

この二人の違いは非常に示唆的である。どちらも自らの存在証明をかけた日記でありながら、高野の場合にはそれが思想へと向けられており、南条の場合にはそれが身体へと向けられている。高野は、学生運動へと埋没してしまいがちな自分に警戒心を抱きつつも、思想にもとづいた自己の確立を求めていたし、南条は、クスリおたくとしての自分に冷ややかなまなざしを注ぎつつも、向精神薬による身体感覚の強化を求めていた。

高野は、自分をつなぎとめておく足場を思想のなかに求めようとした。「総長公選をめぐって、カリキュラム問題をめぐって、佐藤訪米阻止闘争をめぐって、私はほんろうされるだろう。しかし、ただほんろうされてはいけない。自分のものとして、どれだけ摘みとるのかということである。あのような事態の中にいると、歴史の一時点にあるという緊張が否応なしに起る。それだからこそ自己をみつめることが絶対に必要となる」（高野、一九六九年一月五日）。

高野は、自らの身体感覚さえも思想によってコントロールされることを願った。「この頃はよく煙草を喫う。マッチに火をつける。先からだんだんと指先へと炎が移ってくる。〔中略〕アチッと反射的に離すのでなく、熱いなあと意識してから離すようになれたらと思う。反射的にパッと離したのでは、その瞬間何が起ろうと全く関知しないのである。それよりも、これからどうなるか、どうすればよいかを考え、自らその痛みを痛みとして十分に感じとり、それからマッチ棒を捨てるようになりたい」（高野、一九六九年二月一日）。彼女にとって、煙草は「自由のしるし」（高野、一九六九年二月八日）であり、「反逆のしるし」（高野、一九六九年二月一五日）でもあった。

一方、南条は、自分をつなぎとめておく足場を身体のなかに求めようとした。「両腕を固定されて血小板を献血いたしましたが、看護婦さんはなるべく管の中を流れる血が見えないようにタオルで覆い隠してくれちゃったりします。ああ私はそれが見たいの…〔中略〕隙間から見える私の血液と機械の横にぶら下がって貯まっていく血小板の成分。ウットリと見ていた」(南条、一九九八年一二月一日)。彼女は、献血ルームをかけもちし、偽名を使ってまでも頻繁に献血をくりかえす。「私は血を見ると落ち着く」(南条、一九九八年一二月八日)からである。「車に轢かれるなら(中略)アスファルトに流れる血を自分で見たい」(南条、一九九八年一〇月二四日)とも書いている。

南条は、奇妙なほどに明るくポップな文体で、このような日常生活をつづる。「んがーんがーん…。ハルシオン一錠滅らされましたでごんす。げげぐぐづぐぇ」(南条、一九九八年八月三一日)。「ちょっぴり…リストカットしちゃった…。うああああああああああごめんなさいぃぃごめんなさいぃぃぃ!!!やるつもりはなかったんですぅぅぅ!!あの女にそそのかされて…(嘘)」(南条、一九九八年一〇月一九日)。当初は、ウェブサイトの管理人がアップロードと編集を代行していたとはいえ、場面に応じて赤や青などの色文字を巧みに使い分け、表示文字の拡大や縮小といった機能を多用した文章は、文字の伝える意味内容はもとより、文字そのものの与えるインパクトにも重点が置かれている。彼女の綴《つづ》る日記は、その文章自体が身体性を帯びているともいえるのである。

†若者の対抗文化と世代闘争の消失

では、この二人の対照的な相違は、いったい何を物語っているのだろうか。高野は、学生運動への関わり方をめぐって父親と衝突する。「闘争学生とその親との断絶の大きさだ。親は子を理解しようとするが、彼らの立場に立った理解しかできずにいる。それは親自身が自己変革を行わないかぎり当然のことだ」と、親世代の価値観に対して批判的な態度を示す（高野、一九六九年六月三日）。その態度の背後には、親世代が作り上げてきた社会秩序に対する反発がある。「自分の世界を作りあげようとすれば、すぐに政府という怪物にぶち当る。〔中略〕政府や独占資本は巨大な怪物であることを銘記せよ」（高野、一九六九年二月七日）。

しかし、親世代に対する高野の挑戦的な態度は、世代間のヒエラルキーの崩壊を意味するわけではない。親世代は、大きな障壁だからこそ、打倒すべき対象ともなる。「父と母の面前で煙草を吸って、両親と対決することができるだろうか。かみそりで指先を切るよりも、自分のほおを思いきり叩くことよりも、それは幾十倍の勇気がいることだろう」（高野、一九六九年二月七日）。「シュプレヒコールを私が叫んだとて、それに何ができるのか。厳として機動隊の壁はあつい。私自身のうけるもの、あせり、いらだち、虚無感」（高野、一九六九年五月三〇日）。ここに、自らの前に立ちはだかる壁を打ち壊そうと必死にもがく世代闘争が成立する。そして、その世代闘争は、既成の文化に対する対抗としての青年文化を育んでいく。

一方の南条も、自らの身の処し方をめぐって父親と幾度となく衝突を繰り返している。「父は私が薬を飲んでいることに関して気に入らないようです。昔の、プールに遊びに行くような元気な私に戻って欲しいそうです。って誰のせいで薬を飲み始めたのか根本を探れよボケ」（南条、一九九九年三月二日）。しかし、父親に対する彼女の態度は、高野の場合とは微妙に異なっている。父親の影響圏からの離脱を願ってはいるが、父親の存在は打倒すべき障壁とは認識されていない。

「誰のせいでリストカットしている部分があると思ってるんだ！と思いました。…私の心が吹っ飛びました。吹っ飛んじゃった吹っ飛んじゃったぽーん♪ピョペペッ。それでも〔中略〕どうしようもないヒトだから私が折れるしかない。と思って色々話しかけて、私の方に怒りの矛先が向くようにして怒りを受けて内側にため込んでみました。何で私がこんな目に遭わなくちゃいけないのかよくわかりません」（南条、一九九八年七月八日）。ここに、世代間のヒエラルキーはもはや存在しない。世代闘争も成立しない。彼女にとって、父親は、人間として対等である。「好き勝手に生きて、いいんだね。私じゃ父の心を癒してあげられないんだね。じゃあ私の存在価値って、何なんだろう」（南条、一九九九年二月二八日）。親と子のタテの関係はすでに崩壊し、ここにはむしろ互いに補いあうような関係が成立している。

高野が青年期を生きた時代から三〇年を経て、彼女たちの世代はすでに南条らに対する親の世代となっている。今日、万年青年という言葉が廃《すた》れたのは、青くさい感受性を捨てられないまま歳を重ねる人びとが消えたからではなく、むしろ逆に、ほとんどすべての人びとがそれを引きずるようになってきたからだろう。かつて社会学者の井上俊が指摘したように、「次第に「遊戯性」への傾斜が強まり、それとともにユース・カルチャーの自立化傾向が顕著になってきた」のが全共闘世代の特徴だったとすれば(『遊びの社会学』世界思想社、一九七七年)、しかもその世代が、いまだに「おとな」になりきれず、青年の意識を引きずったままだとすれば、現在は、成人文化そのものが「遊戯性」を孕んでいるともいえる。

南条の父親が、高野の父親とは違い、確固たる世界観をわが娘に提示できずに戸惑っているすがたは、彼女の日記にも詳しく描かれている。父親自らの人生も懐疑に満ちているからである。昨今は、子どもの前に立ちはだかる壁のような存在ではなく、むしろ友だちどうしのように悩みを語りあう存在でありたいと願う親たちが、南条の父親に限らず増えている。ところが、反旗を翻すべき対象のないところに対抗文化は成立しえない。皮肉にも、現代の青年文化は、成人文化がすでに「遊戯性」に彩られているために、成人文化への対抗性とそこからの自律性を失ったのである。

こうして、現代の成人文化には権威も尊敬も存在しなくなり、世代闘争は終わりを迎えるに至った。井上は、一九七〇年代初頭までの若者を念頭に、「青年期とか若者文化というものが「離脱」ということによって特徴づけられるとすれば、その「離脱性」において青年というものはほんらい常に「問題的」な存在であるともいえる」と指摘した（『死にがいの喪失』筑摩書房、一九七三年）。しかし、それから三〇年あまりが経過して、たとえば次章で取り上げるひきこもり問題が象徴するように、いまやその離脱すらも困難になってきたところに青年期の新しい課題がある。

†抽象的な他者と具体的な他者

階級闘争にせよ、世代闘争にせよ、社会的な葛藤の経験は、自分とはまったく異なる人びとを強烈に意識させる。したがって、対抗文化は、思想を必然的にともなわざるをえない。こうして、高野の世代の青年文化は、親世代という異質な人びとへの抵抗のなかから、その思想性を培ってきた。彼女は、まさにその申し子のような存在だった。栃木県で那須の山々に囲まれ、牧歌的な雰囲気のなかで育った彼女は、学生運動の吹き荒れるただなかに京都の大学へと進学し、それまでとはまったく異質な人びとに出会った。それを契機に、自らの拠《よ》り所を思想のなかへ求めようと必死になっていった。

それに対して南条は、世代闘争とそれがともなった対抗的な青年文化を失った世代の一人である。彼女たちの日常世界に、かつてのような社会的葛藤を引き起こす要素は、ワーキング・プアに代表される昨今の就労問題を唯一の例外として、他にはほとんど見受けられなくなっている。とりわけ彼女の行動範囲は、その日常世界の狭さを象徴するかのように、自分の生活圏と通学圏の交差する渋谷周辺に限られており、わずか数駅の距離にある新宿や池袋へさえも足を延ばすことはほとんどなかった。自分の世界観を相対化しうるような異質な人びとと出会う機会をほとんどもたず、自らが世界の中心であると感じられてしまうとき、自分の拠り所は自らの身体のなかにしか見出せない。

高野と南条の感受性の違いは、このような事態の推移を物語っている。思想は、自分にとって異質な世界を自己の内に取りこむ手段である。自己の根拠を思想に見出そうとする人は、自分の感覚だけにとらわれないから、他の人びとの見方を自己の内に取りこむことが容易になる。そして、自己の内に取りこまれた世界観が、今度は自己の相対化をうながす。異質な他者の視点から、自己のすがたが照らし直されるからである。

また私たちは、自己を物語るために、その聞き手を必要とする。たとえ具体的な聞き手が目の前にはいなくても、その存在を想定しつつ物語ることで、私たちのモノローグは自己を照らし出すことができる。従来の日記においては、自己の内に取りこまれた他者のまなざしがその役割を担ってきた。だから、日記とは独白でありながら、自己との対話でもあった。他者の視点から自身を見つめ直し、内省することが可能だった。

ところが、思想に対する信頼がもはや成立しえず、そこに自己の根拠を見出しがたい人は、他者からの視点を自らの内にもちにくい。自らの身体感覚は、予想を超えるものでない限り、異質な経験を自分にもたらしてくれず、自己を相対化してくれない。日頃から馴《な》染《じ》んだ身体感覚は、ただ日常性をなぞるだけにとどまり、なんら新しい刺激をもたらしてくれない。だから南条は、予想を超えた身体感覚への刺激を求めて、あるいは身体感覚そのものの強化を求めて、向精神薬の使用へと耽溺《たんでき》していったのだろう。薬物によって引き起こされる新奇な身体感覚をつうじて、自分の拠り所を確認しようとしたのである。

他者のまなざしを自己の内にもたない人間が自らを物語ろうとする場合には、自分の外部にその聞き手を求めざるをえない。しかし、自己の物語が赤裸々なものであればあるほど、自分と利害関係のある人びとにその役割を求めるのは危険が大きすぎる。そこで彼らは、具体的な利害関係のないバーチャル空間の他者にその役割を求め、ネット上に日記を公開する。ウェブ日記の読者は、自己の内に取りこまれた他者のまなざしと同じ役割を担っており、その意味においてリアルな他者ではなく、自己の延長線上に位置する他者である。ウェブ日記の読者は具体的な他人ではないと先ほど述べたのは、このような意味においてである。彼らがウェブ日記を公開できるのは、ネットの空間へと自己が延長されているからにほかならない。

ウェブ日記の書き手とその読者は、けっして対面しているわけではなく、多くの場合は互いの実名さえも知らない。たとえ日記を公開しても、反応が返ってくるかどうかも分からない。しかし、ここで重要なのは、自らの物語を聞いてくれている他者がいるという実感である。その他者とは、自分の内なる他者の代わりなのだから、現実に応答があるかどうかは大して重要な問題ではない。私たちは、自己を物語ることによって、自分の拠り所を明確にすることができる。自分という存在を確認することができる。したがって、ウェブ日記の隆盛は、自己を物語りたいという欲望があるにもかかわらず、その物語の聞き手を自分の内なる他者に見出すことができないことの反映として理解することができるだろう。

近年、精神疾患を抱える青年期の人びとには、壮大な誇大妄想やヒステリー反応などが見られなくなり、統合失調症もかつてより軽症化の傾向にあるという。多くの精神科医が指摘するように、今日では、彼らの精神を抑圧するような厳格な規範を押しつける役割を、一般的な社会が果たさなくなっているからである。社会的な権威を体現した抑圧的な他者との軋轢や、威圧的な社会道徳や規範の重圧に苦しむ青年は確実に減っている。

それに代わって、彼らのあいだに急増しているのは鬱病《うつびょう》である。こちらは、対人関係のストレスやその重圧感から発症しやすいといわれている。いわば内なる厳格な他者との葛藤から生じやすいのが統合失調症だとすれば、むしろリアルな他人との葛藤から生じやすいのが鬱病である。統合失調症から鬱病へという精神疾患の流行の推移は、屹立《きつりつ》する社会という大きな障壁がリアリティを失ったために、皮肉にも個々の人間関係のキツさが際立ってきたという今日の状況を反映したものである。いわば、自己の内なる他者から現実の他者へと、青年の精神を抑圧する主体が移行しているのである。

†それぞれの自傷行為が語るもの

高野は、自ら死を選ぶまえに自傷行為を幾度か繰り返している。「カミソリをあてて思いきり引っぱった。赤い血がみるまに滴となっていった。〔中略〕私の肉体に真っ赤な生々しい血が流れているのである。巨大な怪物の前に自分が何をやりたいのかもわからず、自分を信じることができず「私はこの部屋の王様である」なんて言っている奴の中にも、真赤な血が流れているのである。ただ生きるために酸素と栄養分をもち体のすみずみまで血が流れているのである」（高野、一九六九年二月五日）。

一方、南条の自傷行為の頻度と深度は、高野の比ではない。「血が見たくてしょうがなくて、しょうがないので注射針で血を抜いてみました。頓服のレキソタン飲めってカンジですが、我慢できませんでした。（笑）結構ゲージ数の大きな針なので血管をホンの少し破っただけでビヨーーーっと血が噴き出します。因みに両肘内側の普通採血検査をする血管で遊びました。静脈の血は黒い～暖かい～ってカンジです。〔中略〕両肘内側が注射針の痕だらけになりながらもまだ血が見たかったので右手首の手のひら側手首真ん中の血管に針刺してみて血を抜いてみました。手首がジャンキーです」（南条、一九九八年六月二日）。

どちらも鋭い痛みを感じさせる文章である。しかし、その痛みの質はまったく違う。自傷される高野の身体は、彼女の思想の対象であり、思想する自己に従っている。彼女の自己は、彼女の身体感覚を超え、それを支配する主体として感じとられている。彼女の痛みは、その主体の痛みにほかならない。身体から流れ出る「真っ赤な血」は、主体の痛みの寓意である。

では、高野の抱える主体の痛みとは何だろうか。「これが生きているというなら、その意味は認めない」と、彼女は書いている（高野、一九六九年二月八日）。自分は主体であるはずなのに、しかし主体的に生きていくことの困難さ、すなわち主体の空虚感こそが、その痛みの内実だろう。「私は今生きているらしいのです。刃物で肉をえぐれば血がでるらしいのです。〔中略〕悲しいかな私には、その「生きてる」実感がない」（高野、一九六九年三月八日）。彼女にとって、生を実感しうる自己は、身体感覚を超えて存在すべきものである。その自己の実感を得たいがために、彼女は自傷行為に手を染める。自らの生々しい身体感覚を経由することによって、その先にあるはずの自己の感触を得ようともがいている。

それに対して、自傷される南条の身体は、彼女の自己そのものである。身体を超越し、それを支配する自己があるわけではない。彼女の自己は、彼女の身体とイコールである。だから、自らの存在を確認するためには血を見なければならないし、彼女の痛みは高野よりも直截《ちょくせつ》的なのである。自己の痛みと身体の痛みは、本来は別の次元にありながら、しかし同時に重なり合ってもいるからである。「いつもなら切ったままぱっくり開きっぱなしでぐるぐる包帯を巻いておくだけの傷口。…縫うことになってしまいました。〔中略〕「麻酔かけるんだけどぉ、ちょっと痛いよぉ。」と当直の女医さんが言いました。その時よっぽど嫌そうな顔をしたらしく、「大丈夫よぉ、手首切るほど痛くないから。」と言われました。あ、あ、ソレとこれとは別物なんです…」（南条、一九九八年七月三日）。

南条には、高野のような主体性への憧れが見受けられない。そもそも彼女には、自分という存在を一つに統合しうるような確固たる自己への憧れがない。逆に、彼女は、自らの身体をもてあましている。「怖いのです。何にもなれない自分が、情けなくて申し訳なくて五体満足の身体を持て余していて、どうしようもない存在だということに気付いて存在価値が分からなくなりました」（南条、一九九九年三月一一日）。

　彼女の自己は、個々の身体感覚のなかへと溶けこんでいる。身体が自己であるとはいっても、心臓や脳にその中心があるわけではない。全身をくまなくめぐる血液に自分のリアリティを感じとっているように、彼女の自己は身体の隅々へと拡散して存在している。したがって、彼女は、高野のように主体の空虚感に悩むこともない。そもそも主体的な自己など最初から想定されていないからである。

　代わって、彼女のもつ痛みは、ただ瞬間的にしか実感されえない身体感覚のはかなさであり、それゆえの冷淡さである。身体感覚は、思想のようにいつも覚醒しているわけではない。そのはかなさは、それでなくても拡散した自己の存在感をさらに削《そ》ぎとってしまう。刺激が途絶えればたちまち遠のいてしまう身体感覚は、自己のはかなさをも意味する。しかし、自分は確かに存在するという実感はどうしても欲しい。このとき自傷行為は、冷淡な身体をいっきょに熱する手っとりばやい手段となる。「やってしまいました自傷行為。鞄のサイドポケットに入っていた使い捨てメスで、ブスブスブスブス。手首の肉を刺してえぐって、ブチンと肉を切り裂きながらメスを抜きます。待合室の廊下に私の血が滴りました」（南条、一九九九年二月二八日）。たとえば、日頃は気にも留めない胃の存在を鋭い胃痛によって自覚しうるように、拡散していた自己はここに焦点化され、そして覚醒される。ところが、勢いよく噴き出した血液も、やがては固まってしまう。身体は、ずっと熱いままではいてくれない。一時的には覚醒した身体感覚も、すぐに衰弱しはじめる。だからこそ、南条の自傷行為は、高野の比ではなく、なんども頻繁に繰り返されるのである。確実な自己であるためには確実な身体感覚を必要とする。ただ瞬間的にしか実感されえない身体感覚をなんとか覚醒させつづけたいという試みが、高野のような思想をもちえない南条の自傷行為といえる。

高野の自傷行為も、南条のそれも、けっして死を希求したふるまいなどではない。むしろ、その行為の外見とは裏腹に、生の実感を希求してのふるまいである。この点に関しては、二人とも共通している。しかし、高野が、生の感触を媒介にしてその背後にある自己を確認しようと自らの身体を傷つけていたのに対し、南条は、生への刺激を直接的に自己へ与えようと自らの身体を傷つけている。身体を超越し支配する主体としての高野の自己像と、身体そのものに溶け込んで拡散している南条の自己像。両者の生きづらさを大きく隔てるこのギャップを見落とすべきではない。

†「変わりゆく私」から「変わらない私」へ

青春期という季節は、今も昔も、自分の人生についてもっとも迷い、もっとも悩む時期だろう。青春期に特有の気だるさは、この揺れ動く自己が招くものだろう。高野と南条もその例外ではなく、自らの未来に対する希望と絶望のあいだで揺れ動いている。しかし、その動揺をもたらす彼女たちの自己意識は、三〇年という歳月のなかで大きな変貌をとげてもいる。

自分はいかに人間として成長し、変わっていけるのだろうか。高野の希望と絶望は、そのイメージをめぐって揺れ動く。「何もない空っぽと感じていること自体一つの大切な私の感情であるが、それに浸りこまずに空っぽゆえに行動して己れを高めていかなくてはならぬのだ。〔中略〕私は自己を知るため、自己を完成させるため、本を読んだり、街に出たり、自然に飛びこんでいくことを、いま要求されている」（高野、一九六九年四月一〇日）。「今日の収穫は何か？　何もない。〔中略〕すべて無目的で気分的な行動で一日がすぎている。このような生活に慣れて時間を空費していることをふと恐ろしく思った。精神的に未熟なまま生活力もないのにこれから何十年間、人なみに結婚し、子供を産み、育て、母となり、おばあちゃんになるのかと思うと、何だかぞっとする」（高野、一九六七年八月五日)。

一方、南条の希望と絶望は、生まれもった自分らしさをいかに傷つけられずに保つことができるのか、そのイメージをめぐって揺れ動く。「とにもかくにも私は我慢をして、自分の幸せをつかみ取りたいと思っています。そう簡単に幸せはつかめないものだろうけど、今の状況よりは絶対に幸せなはずです。これから専門学校に行って就職して親の元から離れるまで、私の心は冷凍保存しておくことにします」(南条、一九九八年七月八日)。「これからの人生のシミュレーションをしてみると、どんなに沢山の良い要素があっても最終的には真っ黒になってしまうんです。閉塞感に押し込まれて過呼吸。ひぃはぁ」(南条、一九九八年一二月一日)。

高野にとって、未来の希望は、自分が今後いかに変わっていくことができるかに関わっている。他方、南条にとって、未来の希望は、自分が今後いかに変わらないでいられるかに関わっている。いまの自分を改善したいという欲求と、いまの自分を大切にしたいという欲求。この対照性は、高野の主体性へのこだわりと南条の身体性へのこだわりの相違にもとづいている。主体性とは思想によって培われていくものだが、身体性とは生来的に備わった感覚に依拠するものである。したがって、自分の根拠を主体性に見出そうとする高野が、獲得されるものとしての自己像をもつのは当然だし、自分の根拠を身体性に見出そうとする南条が、生得的なものとしての自己像をもつのも当然だろう。

高野からみれば、人間の可能性は、環境がどう変わるかではなく、自身がどう変わるかに拠《よ》っている。「人間の存在価値は完全であることにあるのではなく、不完全でありその不完全さを克服しようとするところにあるのだ」(高野、一九六九年一月二日)。この場合、自己とは、主体的に形成されるものとなる。一方、南条からみれば、人間の可能性は、自身がどう変わるかではなく、環境がどう変わるかに左右される。「私が我慢していくの、私が我慢していくの。もうすぐ社会にでられるでしょう」(南条、一九九八年七月八日)。この場合、自己とは、もって生まれた不変の本質のようなものとなる。だから、昔もいまも変わっていないはずであるし、ひるがえって眺めれば、いまも未来も変わってはならないものである。

近年、若者のあいだではスピリチュアル・カウンセリングが大人気である。霊能力を有するという江原啓之の説法が大ブームとなり、またスピリチュアリティに関する総合展示会の「すぴこん(スピリチュアル・コンベンション)」が日本各地で開催されている。スピリチュアリティへの強い憧れは、たとえば前世やオーラといったように、自らの運命を生得的に支配している根源的な背景を知りたいという欲求の表われだろう。その意味では、南条と同じメンタリティから生まれた現象といえる。三二歳のある若者は、スピリチュアル・カウンセリングを受ける動機について、「私の本当の力とか、なぜ私がこういう人間なのかを知りたくて」と語っている（『AERA』二〇〇六年二月二七日号）。いまの私の生きづらさは、けっして偶然の所産ではないはずだ、そこには何らかの必然があるはずだ、そう思っているのである。

考えてみれば、これはきわめて興味ぶかい現象である。近代以降、私たちの社会は、血筋や家柄などの生得的な属性から人びとを解放し、知識や技能などの後天的に獲得される属性に優位性を認めてきた。自由にせよ、平等にせよ、そのための理念だったはずである。しかし、ここへきて、生まれもった自分らしさだとか、秘められた自分の本質だとか、表向き洗練された属性に置き換えられてはいるが、自己像に対する感受性の方向がかつてとは逆になりはじめている。獲得的な自己像のリアリティが失われ、代わって生得的な自己像のリアリティが復活しているのである。

†人間関係における二つの息苦しさ

自らを主体的に創造していく人間でありたい。高野のこのような想いは、じっさいには周囲の人びとからの役割期待のなかで生きざるをえない彼女に大きな葛藤をもたらす。「私は昭和二四年一月二日から、この世界に存在していた。と同時に存在していなかった。

〔中略〕集団から要請されたその役割を演じることによってのみ私は存在していた。その役割を拒否するだけの「私」は存在しなかった」（高野、一九六九年一月一七日）。彼女にとって、集団とは自らの創造性を抑圧しかねないものであり、その人間関係はたいそう重苦しい桎梏《しっこく》でもあった。「私は眼鏡をかけたときは、〔中略〕それを演じているのだという意識、本当の自分はもっと別のところにあるのだという意識が私の心を救う」（高野、一九六九年二月五日）。

高野は、本来あるべき主体的で創造的な自分のすがたと、集団の引力から逃れられない現実のすがたとのギャップに、生きづらさを覚えざるをえない。それが、彼女の抱く主体の空虚感の内実であり、生の実感のなさの源泉でもある。主体的な人間にとっては、「友情というものも、独立した自由な人格をもつ人間と人間における関係である」（高野、一九六七年一二月一〇日）。そのはずなのに、現実の関係はなかなか期待どおりにはいかない。「私自身の存在が本当に確かなものなのかも疑わしくなる。他者を通じてしか自己を知ることができぬ。他者の中でしか存在できぬ、他者との関係においてしか自己は存在せぬ。自己とは？　自己とは？　自己とは？」（高野、一九六九年四月二四日）。

かくして高野は、人間関係の桎梏から解放され、自らもそれに依存しない自律した存在でありたいと切に願うようになる。しかしそれは、他人との関係を断ち切ればすむといっいにはじっさた単純なものではない。主体的な存在でなければならないという強迫的な観念は、じっさいには主体的になりきれない自分だけが、すでに主体的にみえる周囲の人びとから置いてきぼりを食うのではないかという焦燥感や孤独感にも転じるからである。「人間関係はいらない／この言葉は私のものだ／すべてのやつを忘却せよ／どんな人間にも私の深部に立入らせてはならない〔中略〕私はおまえを、おまえ一人をこの世で愛す〔中略〕サビシイデスネ――〔中略〕ちっぽけな　つまらぬ人間が　たった独りでいる」（高野、一九六九年六月一九日）。

それから三〇年後、南条は、周囲の人びととの関係に、高野のような意味での息苦しさを覚えてはいない。そこに成立しているのは、前章で述べたような「優しい関係」だからである。むしろ彼女が感じているのは、その関係の繊細な舵取りにともなう息苦しさである。「今クラスで友達をしているのは上辺です。女子は集団行動する友達がいないと悲しい生き物ですから、とにかく上辺だけのつき合いです。冷たいヤツと思われようが、とにかく上辺友達です。所詮そんなモノ／」（南条、一九九八年一〇月三〇日）。友達「をしている」というニヒリスティックな表現にも表われているように、集団の引力の内実は高野の場合と微妙に異なっている。

では、人間関係に醒めたまなざしをもつ南条が、なぜ偽名を使ってまでも頻繁に献血を繰り返すのだろうか。ただ自分の血を見たいだけなら自傷行為ですむはずである。「個人的な意見を言わせてもらうと凄く我が儘なんですが、お風呂場でケタケタと笑いながら自分の心と身体をリストカットするよりも人の役に立ちたいんですよぉぉぉぉ。ただ流れていく血が勿体ないじゃないですかぁ。だから献血でリストカット衝動を抑えて、ついでに世のため人のために献血してるんですよぉぉ」（南条、一九九八年一二月八日）。献血ルームは、彼女にとって非常に居心地のよい空間である。献血という正当な理由によって、自分の血液を凝視することができ、しかも自分の身体を看護師に手厚く扱ってもらうという快楽を味わえるからである。献血によって彼女が得たいのは、自分という存在の確認とともに、他者からの絶対的な承認である。彼女自身も、暗にそれに気づいていたからこそ、「凄く我が儘なんですが」とことわらざるをえなかったのだろう。

†「自律したい私」から「承認されたい私」へ

南条は、こう告白してもいる。「私は人に構って欲しいというきらいがあるからこうやって「死ぬ死ぬ死のう」と書いたり、リストカットをするのかもしれません。そうです。本気で死にたかったら簡単です。高いビルから頭を下にして飛び降りればいいし、家の中でもドアノブとベルトがあれば一五分人に見つからないだけであっさり終わります。発見者のトラウマにならないように目はセロハンテープ、口はマスクでふさいで決行前にトイレに行けばオールオッケー（だと思う）万が一〔ダンス競技会の〕学年代表に選ばれてしまっても、班員一人が死亡で欠けたダンス、インパクト強くていいカンジです」（南条、一九九八年六月二三日）。

ここには、なんと切ない自己承認への欲求があることだろう。死亡後に発見される自分の刺激的な身体が、さらには自殺という衝撃的な事件によって自分の欠けたダンスのステージの光景が、かえって自分という存在の強力なアピールになることを敏感に感じとっている。

南条が人間関係に感じる冷ややかさは、彼女の身体の冷ややかさと同根である。自分という存在を支えてくれる安定した基盤は、いまや人間関係にも思想にも見当たらなくなっている。彼女の自己は、自らの身体以外にはどこにも拠り所を見出せず、その身体の気まぐれな感覚とともに浮遊しつづける。だから彼女は、自傷行為によって身体を熱することで、その身体のなかに拡散する自己を覚醒させようと試みるのだし、自らを限りなく承認してくれる手厚くホットな人間関係に包まれることで、自己の安定した基盤を確保したいと夢想するのである。

一般的な他者の視線が自分のなかに取り込まれないとき、自らの身体感覚のみに依拠した自分は、まさに世界の中心点となる。しかしそれは、社会という確固たる根拠をもたない空虚な中心点である。それゆえに、自己の安定のためには具体的な他者からの絶えざる承認が必要となる。その承認欲求の強さは、南条の日記に書きつらねられた内容ばかりでなく、ネット上でそれを公開するという形態にも表われている。

高野は、重苦しい人間関係からの避難を可能にし、自律的な自分を確保しうる場所として、精神病院への入院に憧れを抱いていた。「狂人になり、精神病院で暮せるようになれば幸い。そしたら私は全く自由になるだろう」(高野、一九六九年四月二四日)。南条も、精神病院への憧れが非常に強く、度重なる自傷行為を理由に、じっさいに閉鎖病棟への任意入院を実行してもいる。しかしそれは、高野とは逆に、濃密な人間関係を求めてのことだった。彼女は、閉鎖的な施設のなかで、自らの心身に対して医者や看護師らが絶え間なく注いでくれる手厚いケアの視線に、なんとも心地よい自己承認の快楽を感じとっていたにちがいない。

南条にとっては、もって生まれてきたはずの自分らしさを保ちつづけることが至上の課題だった。したがって、濃密な接触によって自らの本質が傷つけられるかもしれない危険を秘めた現実の人間関係は、憧れの対象であると同時に怖れの対象でもあった。だから、「優しい関係」という対人関係の作法がそこに生まれる。しかし、病院のなかで注がれる治療サービスの視線にはそのような危険がない。表向きは、「優しい関係」のような偽りの感覚をもたずにすみ、病室のなかでは、他人からの視線を浴びることに心置きなく陶酔することができる。「〔看護〕実習生のみなさん私の両手ガーゼ&足湿布三枚をじっくり見てました。フフ。もっと驚いてちょうだい♪」(南条、一九九八年九月一日)。彼女は、退院してからも、甘美な時間だった入院期間をふりかえり、精神病院を第二の故郷と呼んでいる。その閉鎖病棟のなかで、自分という存在の安定感をはじめて実感しえたからだろう。

南条のウェブ日記は、その着眼点の巧みさと軽妙な文体の魅力もあって、しだいに評判を呼ぶようになり、雑誌への寄稿依頼も舞い込むことになる。「今日はお仕事の打ち合わせです。お仕事。高校生の私がお仕事。うっふっふっふ。打ち合わせ。甘美な響きです」(南条、一九九九年三月五日)。彼女は、甘美なものとして仕事を捉える。そこに、自己承認への活路を見出しているからである。彼女にとって仕事とは、確固たる承認を得るために非常に有効な手段だった。それとは対照的に、高野は、自己を高め、自律性を確保するための手段として仕事を捉えていた。ところが現実の仕事は、自己を疎外するものとして立ち現われてくる。「七時間働いて得る賃金　働いて得た報酬の重さよ　けれどその七時間の没個性的なこと　その空虚さよ」(高野、一九六七年一一月一一日)。ここに、自律への活路を見出せないで苦しんでいる高野のすがたがある。

†束縛感と浮遊感をめぐる生きづらさ

高野も南条も、自らの死の直前に、辞世の句とでもいうべき詩を残している。

永遠にこの時間が続けばよい
人々の中に入れば　また
自分の卑小さと醜さと寂しさを感じるのだから
雲にのりたい
雲にのって遠くのしらない街にゆきたい
名も知らぬどこか遠くの小さな街に
（高野、一九六九年六月一八日）

私が消えて
私のことを思い出す人は
何人いるのだろう
数えてみた

…

問題は人数じゃなくて
思い出す深さ
そんなことも分からない
私は莫迦
鈍い痛みが
身体中を駆け巡る

（南条、一九九九年三月二九日）

束縛的な人間関係から解放されて浮遊することを夢みた高野悦子と、それとは逆に、浮遊状態から解放されて濃密な人間関係に包み込まれることを夢みた南条あや。どちらも孤独の悲哀にみちた詩でありながら、その感受性の向きは逆である。周囲の人びとから「自律したい」という焦燥感がもたらす高野の生きづらさは、三〇年という歳月を経て、周囲の人びとから「承認されたい」という焦燥感がもたらす南条の生きづらさへと変転している。

高野の日記集の出版タイトルである『二十歳の原点』は、「「独りであること」、「未熟であること」、これが私の二十歳の原点である」（高野、一九六九年一月一五日）という彼女の日記中の言葉に由来している。この言葉は、自己に取りこまれた他者のまなざしを経由して、自分自身へと向けられた彼女の宣言である。その背後には、だから自己変革に励んで、つねに自分を成長させていきたいという熱っぽい意気込みが潜んでいる。

それに対して、南条の日記集の出版タイトルである『卒業式まで死にません』は、彼女が友人と約束を交わしていたという言葉に由来している。これと同じような言葉は、彼女の日記中にも何度か顔を出している。この言葉は、ウェブ日記の読者や友人へと向けられた彼女の宣言である。その背後には、だから私をずっと見つめていてほしいという切ないまでの承認欲求が潜んでいる。

日記集のタイトルにも表われている二人の対照性は、結局、彼女たちが死を選んだ場所にも投影されることになった。高野は、はるか彼方へと続く鉄道の線路に立ち、自らの人生を終わらせた。彼女は、人間関係の重荷から自らを解放してくれる山登りを愛し、一人旅を愛した。大学の進学先も、故郷から遠く離れた京都の地を選んだ。そして、彼女にとって鉄道とは、どこかへ自分を運び去ってくれる開かれた空間の象徴だった。彼女は、その軌道に身を投じて亡くなった。

南条は、遊びなれた渋谷のカラオケ・ボックスのなかで、自らの人生を終わらせた。彼女は、自分を不安にさせる旅が大嫌いだった。旅どころか、渋谷周辺以外にはほとんど地理感覚をもっていなかった。彼女が愛したのは、医師や看護師に囲まれた精神科の閉鎖病棟であり、友人と膝を突き合わせるほどに窮屈なカラオケ・ボックスだった。その極小の空間で、自分とメンタリティを共有すると感じていたＣｏｃｃｏの曲ばかりを何時間も歌いまくった。そして彼女は、あたかも子宮内へと退却するかのように、その閉じた空間に身を横たえて亡くなった。

鉄道の線路という限りなく外界へ開かれた軌道と、カラオケ・ボックスという外界から遮蔽《しゃへい》された空間は、思想という外部に開かれた高野の自己と、身体という内部に閉じられた南条の自己に対応している。彼女たちにとっては、どちらも聖なる場所だったのだろう。本来は、自分の生の拠り所たる聖なる場所だからこそ、その生を終わらせる場所として、彼女たちはそこを選んだのではないだろうか。後ほど第五章で詳しく考察することになるが、死は、生に輝きを取りもどす最終的な手段としても有効だからである。

†日記に書き込まれた「本当の自分」

高野にせよ、南条にせよ、日記をつけることは、生きづらさにもがく自分にとって、大いなる救いとなっていたにちがいない。高野はこう書いている。「ぼんやりとした寂しさが今日を支配していた。この頃、そういう時は独りになり自分の心をじっとのぞくことが多くなった。[中略] 独りぼっちで無力でわびしいのだ。でも、おまえに向かって書きたいままペンを走らせたら心が少し休まった」(高野、一九六九年一月一七日)。彼女にとって、日記を書くという行為は、かえって孤独感さえもたらす人間関係の桎梏から解放される手段でもあった。

南条は、パソコンで日記を書いていたが、父親とのいさかいで、そのパソコンを壊されそうになる。「ハサミを投げつけた私に対して父は急激に激怒…。「もう全部ぶっ壊して入院でも何でもしろぉぉ!!!」と私の部屋のパソコンのモニターを持ち上げて叩き壊そうとしました。それはなんとか私がなだめて止めました。…っていうかあの時パソコンを壊されていたら確実に私はそこら辺のマンションの屋上から飛び降りていたと思います」(南条、一九九八年七月八日)。彼女にとって、日記を書くという行為は、ネットを通じて理想的な人間関係を夢みる時間を確保する手段でもあった。

しかし、日記を書くという行為は、その書き手に対して救済力を発揮すると同時に拘束力も発揮する。日記を書きつづけるうちに、日記のなかに生きる自分と、現実の世界に生きる自分とが、隔たりを示してしまうこともあるだろう。そのとき、日記の書き手はどのような態度をとるだろうか。自分の本当のすがたは、日記のなかにこそ書き込まれている。

そういう想いが強い書き手ほど、日記のなかに生きる自分に忠実になろうとするにちがいない。「ここに書かれたことは、自分に対して責任を持つ」（高野、一九六七年九月四日）。高野は、日記にそう書いている。

「このノートこそ唯一の私である」（高野、一九六九年六月二〇日）とみなしていた高野は、日記のなかの自分に正直であろうとすればするほど、日記に向かっている現実の自分のほうに偽りを見出してしまう。「私は非常にウソつき」（高野、一九六九年四月二四日）。「人生は演技」（高野、一九六九年三月二七日）であり、「生きるということは妥協の連続」（高野、一九六九年六月九日）だからである。その行き着く先は、現実の世界に生きる高野悦子を否定することだろう。「今や何ものも信じない。己れ自身も」（高野、一九六九年六月二二日）。彼女は、日記のなかの高野悦子に忠実でありすぎた。彼女は、一度「このノートを燃やそうという考えが浮かんだ。すべてを忘却の彼方へ追いやろうとした」（高野、一九六九年六月二〇日）。しかし、その反逆は叶《かな》わなかった。ここに、日記の魅力とともにその魔力を見出すことができる。

南条もまた、その日記の魔力に憑《つ》かれた一人である。彼女の場合、現実の自分をみつめるまなざしは、自分の内に取りこまれた抽象的な他者のそれではなく、ネット上の匿名の他者のそれである。ウェブ日記の読者は、自己の延長線上にあり、具体的な人間としては感じとられていない。しかし、その読者が、現にこの世界を生きていることも否定できない。したがって、日記のもつ拘束力は、高野の場合よりも格段に大きいにちがいない。「皆様に悪いお知らせがあります。今日はワタクシとっても平穏な一日で、薬を一錠も飲みませんでした。読んでいてもツマラナイかもしれません」(南条、一九九八年六月一八日)。「読者の皆様はもっと荒廃した私の精神状態を期待なさってる方もいらっしゃるんじゃないかと思います」(南条、一九九九年二月一二日)。彼女も、日記のなかに生きる南条あやに忠実でありすぎたのだろう。現実の世界を生きる鈴木純は、ついに最後まで、南条あやとしての自分を生き抜こうとした。彼女は、高校の卒業アルバムの寄せ書きにも、「南条あやをよろしく」と書いている。

†「より望ましい自分」をめぐる格闘

高野悦子は、「より望ましい自分」に対して愚直なまでに誠実であろうとし、それがもたらす生きづらさと格闘する日々を日記に綴っていった。「生きることは苦しい。ほんの一瞬でも立ちどまり、自らの思考を怠惰の中へおしやれば、たちまちあらゆる混沌がどっと押しよせてくる。思考を停止させぬこと。つねに自己の矛盾を論理化しながら進まねばならない。私のあらゆる感覚、感性、情念が一瞬の停止休憩をのぞめば、それは退歩になる」(高野、一九六九年六月一日)。

南条あやも、「より望ましい自分」のすがたに対して貪欲《どんよく》なまでに確証を得ようとし、それがもたらす生きづらさと格闘する日々を日記に綴っていった。「私はいつでも追いかけられている/この世の中の喧噪とか/義務なんてチンケなものじゃなくて/自分自身に/誰も助けてくれない/助けられない/私の現在は錯乱している/きっと未来も/ならば/終止符をうとう/解放という名の終止符を」(南条、一九九九年三月二九日)。

彼女たちの日記が等しく照らし出しているのは、「より望ましい自分」へと駆り立てられ、いつも切羽つまった感じをどこかに抱いてしまうという青年期に共通の課題である。それは、すでに石川啄木の日記に、「なにをすればよいのか 分らぬが とにかく なにかしなければならぬ という気に、うしろから 追ったてられて いる〔中略〕安心は どこにある? 病気をしたい。この希望は ながいこと 予の頭の中にひそんでいる」とあったように、明治後期から現代まで連綿と続く日本の若者の生きづらさでもある(一九〇九年四月一〇日、桑原武夫編訳『啄木ローマ字日記』岩波文庫、一九七七年)。

このように、高野の生きづらさと南条のそれとのあいだには、三〇年という歳月を超えて、なお変わらない生きづらさの本質を見出すことができる。しかし、その生きづらさの根源は、「変わりゆく私」と「変わらない私」にそれぞれ対応して、限りなき自律欲求から絶えざる承認欲求へと大きく様変わりしてもいる。その意味で、三〇年という歳月によって隔てられた大きな断絶をそこに見出すこともできる。

では、一九八〇年代以降、大きく変貌をとげてきた若者たちの自己イメージと、それがもたらした人間関係の生きづらさは、現在の若者のメンタリティにどのような影響を与えているのだろうか。また、その生きづらさを克服するために、彼らはどのような手立てを講じようとしているのだろうか。次章以降では、その詳細を追っていくことにしたい。

第三章

ひきこもりとケータイ小説のあいだ

†「自分の地獄」という悪夢

二〇〇四年、茨城県の水戸市で、ひきこもり状態にあった一九歳の青年が、自宅内で両親を殺害するという事件を起こした。ひきこもり状態にあった青年の境遇とこの事件とのあいだに、なんらかの直接的な因果関係があったわけではないだろう。事件そのものはさまざまな要因が幾えにも重なって起きたはずであり、ひきこもりがその原因とはいえないだろう。むしろ、自宅にひきこもっている人びとにとって、自らの居場所を提供してくれる家族は命綱のような存在だから、それを抹殺するというふるまいは自殺行為に近いとすらいえる。

この事件は、ひきこもりだったことが引き金になったというよりも、ひきこもっていた青年が自宅にさえ居場所がないと感じるまでに追いつめられたとき、不幸にも暴発してしまったものと捉えるべきだろう。この事件からは、ひきこもりを中断して社会へ出るように家族から急かされたとき、自らの命綱であるその家族を抹殺してまでも自宅に留《とど》まらざるをえなかった青年の、社会へ出ていくことに対する異常なまでの恐怖心の強さを読みとることができる。

この青年は、自らの心境を綴ったウェブサイトに、「自分の地獄」という言葉を残していた。ここには、彼の自己肯定感の低さが直截《ちょくせつ》に表現されている。彼は、犯行後の事情聴取においても、「中途半端な自分がつらかった。家族から責められている気がしていた」と供述している。

自らの生きづらさを語るとき、これまでよく用いられてきた喩《たと》えは、「この世は地獄」という表現だろう。経済上の困難からくる生きづらさについてだけでなく、人間関係の困難からくる生きづらさについても、この喩えは頻繁に用いられてきた。しかし、この世界のありようのほうを地獄だと嘆くとき、そこに渦巻いていたのは世界に対する不満であって、自分そのものに対する不安ではなかったはずである。

それに対して、「自分の地獄」とは、自分という存在そのものを地獄の源泉と捉える表現である。ここには、自分に究極の価値を求めようとしながらも、その自分を肯定的に評価できないことに由来する悶々《もんもん》とした生きづらさが感じられる。彼は、たんに自己否定的なのではない。自らを地獄の源泉とみなすに至る心境の背後には、自分自身に積極的な価値をなんとか見出したいと願っているにもかかわらず、そうしようとすればするほど自分の不安感が募っていってしまう、そんな存在感の不確かさが潜んでいる。

この水戸の事件からわずか一二時間後に、同じ茨城県の土浦市で、やはりひきこもり状態にあった二八歳の青年が、自宅内で両親と姉を殺害するという事件を起こしている。たまたま類似の事件が重なったため、ひきこもりの青年による犯行という側面がクローズアップされ、現代を象徴する事件としてマスメディアでも大きく取り上げられた。

この土浦市の青年は、犯行後の事情聴取において、「自分が殺される前に親を殺そうと思った」と供述している。しかし、彼に対して親が殺意を抱いた形跡など現実には見当たらないから、「自分が殺される」というこの表現は、自分という存在が全否定されることを危惧した隠喩といえるだろう。そして、その裏には、やはり水戸の青年と同じく、自分という存在に対する強い不安感が潜んでいる。彼は、「自分の居場所が奪われる」とも述べていた。ここにも、自らの存在感の脆弱さにおののく様子が透けて見えるようである。

一般に、ひきこもりの青年には自責の念が強いといわれる。確かに、社会へ出たいのに出られない自分を顧みたとき、「このままではいけない」「自分は駄目な人間だ」といった想いを抱きやすいのは事実だろう。しかし、このような自己肯定感の脆弱さは、なにもひきこもりの青年たちに限られた特徴ではない。その具体的な表われ方は異なるものの、近年の若者たちに共通して見受けられる特徴でもある。

†「優しい関係」という大きな壁

ひきこもり問題の重要なポイントは、ひきこもりへの入口にではなく、そこからの出口にあるといわれる。ひきこもるきっかけはそれこそ千差万別だとしても、いったんひきこもった人間が再出立するための敷居は、みな一様に高いからである。再び社会へ出たい気持ちがいくら強くても、なかなか容易には出ていけない状況の困難さに、昨今のひきこもり問題の深刻さがある。ひきこもりの問題性とは、ひきこもる人間に特有のものではなく、むしろ彼らを待ち構えている社会のありように由来するものなのである。そして、その背後には、近年の若者たちが共有している自己肯定感の脆弱さが潜んでいる。

ひきこもりの青年たちが感じる社会の敷居の高さとは、外の世界で彼らを待ち構えている人間関係のキツさである。しかしそれは、互いの利害をあからさまに衝突させあうような人間関係の葛藤がもたらすキツさではない。たとえそこに相克があったとしても、それを表面化させないように営まれる「優しい関係」の繊細なキツさである。その微妙な状態を維持していくために、過剰なほどの配慮を必要とする人間関係のキツさである。このような点において、昨今のひきこもりの問題は、第一章で取り上げたいじめの問題と同様に、コミュニケーションへ過剰に没入せざるをえない今日の人間関係に対する反動であり、そのネガティブな投影でもある。

現代の若者たちは、自己肯定感が脆弱なために、身近な人間からつねに承認を得ることなくして、不安定な自己を支えきれないと感じている。しかし、「優しい関係」の下では、周囲の反応をわずかでも読みまちがってしまうと、その関係自体が容易に破綻の危機にさらされる。その結果、他者からの承認を失って、自己肯定感の基盤も揺らいでしまう。だから彼らは、この「優しい関係」の維持に躍起とならざるをえない。きわめて高度で繊細な気くばりが求められるこのような場の圧力が、彼らの感じる人間関係のキツさの源泉となっている。その意味で、「自分の地獄」とは、ひきこもりの青年たちだけの問題ではない。現代の若者たちに共有された一般的な問題なのである。

もちろん、多くの若者たちはこのキツさに耐えながら、あるいはそれを適当にやり過ごしながら、日々の生活を営んでいる。しかし、何かのハプニングでいったんそれに躓《つまず》いてしまったなら、そこから態勢を立て直すのはなかなか容易なことではない。そこで営まれているのは、ささいな失敗でも致命傷となりかねないような、きわめて繊細な関係だからである。その意味で、いったい誰がひきこもりになるかには大きな偶然性がある。そのため、精神科医の斎藤環が指摘するように、ひきこもりの直接の原因となった経験と、それが引き起こした事態の深刻さとのあいだに、きわめて大きなギャップが生じることにもなっている(『社会的ひきこもり』PHP新書、一九九八年)。

したがって、ひきこもりになった直接の原因を問うことにはあまり意味がない。その契機となった個別の出来事をいくら探っても、なんら生産的な答えは見つかるまい。そうではなくて、いったん関係に傷がついてしまったら、たとえそれがわずかな傷だとしても、その修復は限りなく不可能に近いと感じさせてしまうような、昨今の若者たちを取りまく人間関係のメカニズムにこそ、問題の根源がある。だからこそ、いったんひきこもった人間が再び社会に出ようとするとき、人間関係のキッサが大きな壁となって立ちはだかるのである。ひきこもりからの出口の狭さの問題は、一見しただけでは雑多にしか見えないその入口の問題と、じつは根底でつながっている。

†コミュニケーションへの過剰な圧力

第一章でも指摘したように、若者たちの日常生活の場は、互いに交通不能におちいった多数の小集団から構成されている。それら小集団のあいだを橋渡しするような大きな関係へと開いていくチャンネルを見出せないまま、それぞれの小集団が相互の交流をもたずに併存している。だから、いったんある人間関係に入ると、別の人間関係への移動はきわめて難しい。その一方で、彼らの日常生活の場は、独りでわが道を行くような姿勢を許さない空気にも満ちている。ある家庭裁判所の調査官は、「今は中学生はもちろん小学校高学年ごろから群れていないと不安で、そこにしか生きる世界がないんです。行動規範は仲のいい友だちグループの中だけで決まっちゃって、そこから弾き出されたら生きていけない」と語っている（小林道雄「少年事件への視点2」『世界』六八三号、二〇〇一年から重引）。

このように、彼らの「優しい関係」は、その外部へ一時的に避難することも、その内部で孤高にふるまうことも、どちらも認めない強い圧力をもっている。だから、他の人間関係へ乗り換えることも難しいし、一人で生活していくことも難しい。そのため、現在の人間関係における躓きは、そのまま社会生活の難しさを意味しがちである。第一章で述べたように、「今、このグループでうまくいかないと、自分はもう終わりだ」と思ってしまう。自分が属する集団からの離脱は、そのまま社会生活からの撤退へと直結しやすいのである。文部科学省が二〇〇六年に行なった調査でも、中学生が不登校になったきっかけの第一位は友だち関係の躓きである。

かつて社会学者のT・シェフは、アンダーグラウンドの世界へと落ち込むときの入口の広さと、そこから抜け出すための出口の狭さを形容して、半面カースト・システムと呼んだ（市川孝一・真田孝昭訳『狂気の烙印』誠信書房、一九七九年）。それと同様に、社会生活からひきこもり状態に移行するときの敷居の低さは、ひきこもり状態から社会生活に復帰するときの敷居の高さと、じつは表裏一体の関係にある。そのどちらも、円滑で過剰なコミュニケーションへの没入を強要する「優しい関係」のキツさを背負っているからである。

このように考えるなら、具体的な人間関係の躓きがどんな契機によるものであろうと、そして誰の身に起きたものであろうと、一般的な傾向としては、昨今の若者たちはかつてよりもひきこもりになりやすい境遇にあるといえる。しかも、いったんひきこもってしまった場合には、そこから抜け出しにくい環境にあるともいえる。このような意味でも、ひきこもりの問題は、ひきこもった個人の性格に由来するものというより、むしろ彼らをとりまく人間関係のあり方に根ざしたものなのである。

ひきこもりに対する近年のハードルの低さは、人間関係のキツさという問題を経由しつつも、結局のところ、現代の若者たちの自己肯定感の基盤の脆《もろ》さに由来している。では、彼らの自己肯定感が、近年とくに脆弱さを増してきたのはなぜだろうか。それはまた、どのようなメカニズムで人間関係のキツさと結びついているのだろうか。この問題を考えるために、ここで補助的な視点を少しばかり導入しておきたい。

†脱社会的な純愛物語の大流行

まれにみる大ヒットとなった『冬のソナタ』に代表されるように、昨今の物語は純愛ブームの渦中にある。その傾向は、若者向けの出版物においても顕著に見受けられる。『世界の中心で、愛をさけぶ』や『Ｄｅｅｐ Ｌｏｖｅ』などが書店の売り場を席巻してきたのも、その表われの一つといえるだろう。とくに後者の『Ｄｅｅｐ Ｌｏｖｅ』は、当初は携帯電話向けのウェブサイトで配信された経緯もあって、年配層にはほとんど浸透しなかった。しかし、高校生など若い読者層を中心に爆発的な売り上げを記録し、シリーズ四冊で二七〇万部のベストセラーとなった。この大ヒットに触発されて、携帯電話向けのウェブサイトでは多数の純愛物語がケータイ小説として発表されつづけており、それを元にした書籍もまた相次いで出版されている。

『世界の中心で、愛をさけぶ』は別格として、若者たちをターゲットにした作品群が驚異的な売り上げを示してきたにもかかわらず、いわゆる国民的ヒットたりえていないのは、そこに読者の大きな偏りがみられるからである。あらゆる年齢層にまんべんなく読まれているわけではなく、限られた年齢層の読者に対して、しかし桁違《けたちが》いに突出して読まれているからである。書籍の取り次ぎ会社であるトーハンと日販の発表によれば、いまや文芸部門の単行本の売り上げ上位の半数がケータイ小説を元にした書籍で占められている。しかし、毎日新聞が行なった読書世論調査では、その読者層はほぼ一〇代から二〇代の若者に限られているのである(『毎日新聞』朝刊、二〇〇七年一〇月二六日)。

このような消費の傾向は、純愛ブームと一口にいっても、じつはそれが世代ごとに異なるメンタリティに支えられていることを物語っている。年配層の人びとが、ノスタルジックな筋立てに癒しを見出して熱中しているのに対し、若い世代の人びととは、むしろ同世代の主人公のメンタリティに共感を覚えて惹《ひ》かれている。右で触れた読書世論調査によれば、ケータイ小説の内容に共感できるという人びとは、全年齢層を平均すると回答者の四パーセントにすぎないが、一〇代後半に限ると二八パーセントにまで増加する。同じ純愛物語でありながら、この差は大きい。じっさい、年配層向けの作品ではプラトニックな恋愛が中心に描かれているが、若者向けの作品ではセックスもけっしてタブーではなく、むしろ積極的に描かれている観すらある。

たとえば、第一回日本ケータイ小説大賞を受賞した『クリアネス』は、自宅で売春をしている女子大生がホストと恋に落ちる物語だが、選考会では「ピュアな恋」と評された。また、同じくケータイ小説として書籍化された『恋空――切ナイ恋物語』でも、女子高校生がレイプ、妊娠、流産といった過激な体験を次々と重ねていく。この小説も一〇代の若者を中心に二〇〇万部を突破する驚異的な売り上げを示し、人気タレントを起用して映画化もされた。その他の作品群もほとんどが似たり寄ったりの内容で、『Ｄｅｅｐ Ｌｏｖｅ』を雛型《ひながた》とした筋立てになっている。

一方、過去に目を転じてみると、かつての純愛物語の多くは、社会的な差別や親の無理解といった周囲との軋轢をバネにして、主人公たちの恋愛が純化されていくという構図をとっていたことに気づく。二人のあいだを阻む社会的な障壁を打ちくだこうと努力するなかで、あるいはその障害からの逃避行を延々と続けるなかで、互いを想う気持ちは高められていった。どちらの場合も、社会という障壁との葛藤が、純愛を成立させるための必須条件だった。

しかし、現在の若者たちに支持される純愛物語の多くは、理不尽で不純な社会に対する反逆を基調とした反社会的な筋立てでもなければ、そこからの逃避を基調とした非社会的な筋立てでもなく、いわば脱社会的な筋立てとなっている。二人の前に立ちはだかる壁としての社会や他者はほとんど描かれていない。周囲の人びとは、二人の関係に対して無関心か、あるいは協力的ですらあったりする。したがって主人公たちは、周囲との葛藤をまったくといってよいほど経験することなく、最初から二人だけの世界を生きている。にもかかわらず彼らの恋愛が純化されうるのは、そこに死や病という生物学的な障壁が立ちはだかるからである。『Deep Love』の主人公はエイズを発病して亡くなるし、『恋空』の主人公の恋人も癌《がん》に冒されて亡くなってしまう。

もちろん、死や病を媒介に恋愛を純化させる物語は、過去の作品にも多々見受けられる。たとえば堀辰雄の『風立ちぬ』も、実録物の『愛と死をみつめて』もそうだろう。その意味では、若者に人気がある現在の純愛物語も、古典的な物語作法に則《のっと》ったものといえる。しかし『風立ちぬ』は、サナトリウムという社会から排除された人びとの運命共同体を舞台とした物語だったし、『愛と死をみつめて』の主人公の女性も、結婚前の自らの身の処し方をめぐって、恋人への想いと社会規範とのあいだで揺れ動いていた。これらの物語は死や病を媒介としながらも、その背後には確固たる社会が屹立《きつりつ》していたのである。それに対して、発表される作品群のことごとくが脱社会的であり、それがまた一様にヒットするという現在の出版状況は、やはり一つの社会現象とみるべきだろう。

いま、かつての若者たちが純愛物語にノスタルジーを覚えるのは、それしか公認されなかった世代だからだろう。一方、現代の若者たちにとっては、純愛物語はむしろ共感の対象となっている。では、彼らが純愛に魅了されるのはなぜだろうか。いまは性愛もまったく自由なために、かえって純愛に惹かれるのだろうか。

†純度一〇〇パーセントを願う若者たち

ひきこもっている青年たちの言葉を聞いていると、純度一〇〇パーセントという表現がよく出てくることに気づく。それらは「純度一〇〇パーセントの私」だったり、「純度一〇〇パーセントの関係」だったりするが、いずれにしても純粋な自分に対する強いこだわりがあることは確かである。日常の人間関係にも純度一〇〇パーセントを期待してしまうのは、いつ、どこにいても、純度一〇〇パーセントの自分でありたいと強く願っているからだろう。

先ほど述べたように、ひきこもっている青年とそうでない青年との境界はかなり曖昧なものであって、両者のあいだに本質的な違いは見られないとすれば、それほど極端な表現をとらないまでも、純度一〇〇パーセントへの想いは、おそらく多くの若者に共有されたものといえるだろう。そして、昨今の純愛物語の大流行の裏にも、じつはこのようなメンタリティが潜んでいる。とりわけケータイ小説は、ネットを介して気軽に投稿できるため、一〇代の作者によるものも数多く、それだけ若者たちのメンタリティをじかに反映していると考えられる。

一般に、人びとが純愛に惹かれるのは、そこに理想の人間関係を見出すからだろう。私たちは、互いの利害関係や既存の役割関係にとらわれない純粋な人間関係こそ、この世界でもっとも尊いものだと感じている。そこには純粋な自分も存在するはずだからである。純粋な関係への期待値が上昇しているのは、それだけ純粋な自分への希求が強まっているからである。この点に限っていえば、さほど大きな世代差はないかもしれない。

しかし、純粋な自分と一口にいっても、その内実は一様ではない。かつての若者たちが、社会との対比のなかに純粋さを見出していたのに対して、現在の若者たちは、むしろ脱社会的な地平に純粋さを見出している。このことは、それぞれの世代のイメージする純粋な自分が互いに異なっていることを示唆している。では、現在の若者たちが価値をおく純粋な自分とはどのような自分なのだろうか。その純粋さとはいったいどのような性質のものなのだろうか。

反社会も、非社会も、そして脱社会も、いずれも社会規範から逸脱した状態を指す概念という点では同じである。しかし、それぞれの態度を示す人間の内面において、社会規範の占める位置は互いに異なっている。ある規範の存在を認めた上で、それに対して攻撃に出る態度が反社会的だとすれば、その規範に対抗できずに、むしろ逃避しようとする態度が非社会的である。他方、そもそも最初からその規範の存在を認めていないために、そこから離脱してしまう場合が脱社会的である。

少年非行を例に挙げて説明するなら、かつての校内暴力にしばしば見受けられたような、自分の存在を誇示するための破壊行為は反社会的なものだった。そこには、学校の価値観や親の権威などに対する反抗心が投影されていたからである。それに対して、シンナー吸引などの薬物乱用にしばしば見受けられるように、周囲の期待や圧力から逃れるための行動であれば、それは非社会的なものといえる。他方、近年の一部の売春行為に見受けられるような、既存の秩序観や価値観にまったく頓着しない行為の場合は脱社会的といってよいだろう。

そうしてみると、若者に人気のある純愛物語の多くが、その冒頭からすでに社会性を欠落させており、脱社会的な筋立ての展開に終始しているという事実は、それらの読者の求める純粋さが、きわめて内閉的な志向をもったものであることを示唆している。現在の若者たちにとっての純粋さとは、社会の不純さと向き合うことで対抗的に研ぎ澄まされていくような相対的なものではなく、むしろ身体のように生まれながらに与えられた絶対的なものである。だから、死や病といった生物学的で絶対的な障壁が、その純粋さのレベルをさらに高次元へと押し上げることになるのだろう。

かつての反社会的な物語や非社会的な物語では、社会の不純さと対立し、それを排除することで、純粋さが練り上げられていった。しかし、いまや社会は、前章でも指摘したように、純粋さの対立項としての意味をほとんどもたなくなっている。もはやそのリアリティを消失してしまっている。その結果、純粋さに対する憧れが社会的なプロセスを経ることなく、身体性とストレートに結びつくようになっている。身体とは、自らの意思に関係なく、もって生まれてきた実在だからである。

†生まれもった純粋さへの憧れ

近年、死や病、身体的な障害や傷などが、自己の純度を高めるための装置として利用されやすいのは、おそらく以上のような理由によるところが大きい。たとえば、乙武洋匡《ひろただ》の『五体不満足』や井上美由紀の『生きてます、15歳。』、武田麻弓《まゆみ》の『ファイト!』など、作家の赤坂真理が「障害系」と名づけるセルフ・ノンフィクションの大ヒットも、それと同様のメンタリティに支えられたものだろう(「『障害』と『壮絶人生』ばかりがなぜ読まれるのか」『中央公論』六月号、二〇〇一年)。だから、同じく「障害系」のノン・フィクションでありながら、身体障害者=純粋なる者というステレオ・タイプ的な図式を打ち壊す、たとえばホーキング青山の著作などは、『笑え!五体不満足』や『七転八転』のように筆力を感じさせる作品があるにもかかわらず、なかなか大衆受けしづらいのではないだろうか。

若者向けのテレビ番組で、素のままのキャラに独自の存在感を示す天然ボケのようなタレントに人気が集まるのも、おそらく同様のメンタリティに由来した現象といえるだろう。そこでは、天然であることが純粋さの寓意となっているからである。天然とは、脱社会的なものである。彼らに惹かれる視聴者の多くは、そこに演技性を超えた脱社会的な純粋さを見出しているのだろう。

このようなメンタリティの下では、死を前提としない恋愛は不純なものとなり、傷のない身体も不純なものとなってしまう。このように考えるなら、前章で触れた現代のリストカットのような自傷行為も、自らの純度を高めようとする試みとして理解することができる。だからそこには、イノセンス（純粋無垢）に対する憧れがつねに漂っているのだろう。たとえば、悲惨なトラウマ（心の傷）の持ち主が、傷ついた存在として自らの純粋さを誇示しうるように、手首に傷痕《きずあと》を負った若者も、イノセントな主体として自らの純粋さを自認できるのだろう。

それと同じく、大平光代の『だから、あなたも生きぬいて』や飯島愛の『プラトニック・セックス』、星野夏の『あおぞら』など、赤坂が「壮絶人生系」と名づけるセルフ・ノンフィクションの著者も、その多くは心の傷を負った人びとである。もちろん、その傷は、親子関係や友人関係など社会的な関係のなかで背負わされたものかもしれない。しかし、その尋常でない生き方や自助努力の凄《すさ》まじさは、とうてい一般の人びとには真似のできるようなものではなく、彼らは自分たちとは根本的に異なった特別な人間であるかのような印象を強く与える。その意味で、これらの作品の大ヒットも、おそらく「障害系」に惹かれる読者と同様のメンタリティによって支えられている。

そもそも、「心の傷」という呼び方それ自体が、心をあたかも身体と同じように物理的なものとみなす表現であることに留意すべきである。ここには、身体の傷から血が噴き出すかのごとく、心の傷からも血が滲《にじ》み出すようなイメージがある。これらの読者にとっては、身体の傷も、心の傷も、同じ系列のものと感じられているのではないだろうか。免疫力を欠いた身体が病原菌に弱いのと同じく、純度の高い心もまた傷つきやすい。身体の傷と同様に、心の傷を媒介にして、人間関係とは無関係の生まれもった実在としての純粋さを、すなわち脱社会的な純粋さを、主人公の内面に見出しているのだろう。

ちなみに、若者向けの純愛物語にも、作者自身の体験をもとにしたものが多い。たとえば、今日のケータイ小説ブームの火つけ役となり、書籍版もシリーズで一四〇万部を売り上げたヒット作『天使がくれたもの』は、主人公が想いを告げる直前にボーイフレンドが交通事故で死亡してしまったという作者の実体験にもとづいて書かれた作品である。先ほど触れた『恋空』も、真偽は定かでないが、実話を脚色したものだとされている。そもそもケータイ小説の作者には、先述したように一〇代の若者が多く含まれており、なかにはまだ作品として洗練されていないものも多々見受けられる。その点からいっても、これらの作品の多くは手記の色彩を強く帯びている。

したがって、純愛物語の読者たちも、おそらくセルフ・ノンフィクションを読むのと同じような感覚で、これらの物語を味わっているのだろう。先ほど触れたように、毎日新聞による読書世論調査によると、一〇代後半の若者の二八パーセントが、ケータイ小説の内容に共感できると答えている。しかし、それらを作品として優れていると答える者は、じつは八パーセントにすぎない。彼らは、同世代の手記を読むような感覚で、ケータイ小説に接している。そこに展開される物語に一喜一憂するというよりも、むしろキャラとしての主人公の描写に心を動かされているのである。

セルフ・ノンフィクションにせよ、純愛物語にせよ、読者を惹きつけているのは筋立ての斬新さではなく、自分が「泣ける」ほどの強烈なキャラをもった登場人物である。だから、どんなに荒唐無稽な筋立てであろうと、逆にきわめてベタな筋立てであろうと、あるいは筋立てすらなく、たんなるエピソードの羅列であろうと、さしたる違和感もなく受け入れられることになる。話の筋は、あくまでも際立ったキャラを味わうための素材にすぎないからである。その意味で、形式的には物語でありながら、その中身はきわめて断片的であり、携帯電話の狭い画面での読書にフィットしたものとなっている。読者がそこに求めているのは、登場人物のキャラに固有の特別さであり、生得的で不変の特別さゆえに、物語の文脈に依存しない脱社会的な純粋さなのである。

†「善いこと」から「いい感じ」へ

純粋なるものが生まれもった実体だとすれば、その本質は言葉によって語られたり、言葉を通して実感されたりするものであってはならない。ケータイ小説の評価においても

「泣ける」か否かが重要なポイントとなっているように、言葉以前の生理的な衝動、あるいは身体的な感覚こそが、彼らの感じる純粋さの本質となる。現代の若者たちが、ものごとの価値判断を行なう場合に、ともかく自分はどう感じるのか、その直感のようなものに根拠を置こうとする傾向を強めているのはそのためだろう。「私が本当に感じているものは何なのか」、それこそが、自らの態度を決めるさいのもっとも重要な判断基準なのである。

極端な例ではあるが、学校の廊下を走っている生徒に教師が注意をすると、「いけない理由は何ですか、こんなに広くて気持ちのよい場所なのに」と、まったくもって率直な反応が返ってくることが近年は増えているという(『毎日新聞』朝刊、二〇〇〇年五月一三日)。たとえば「どうしようもない緊急の用事があったから」などと、かつての生徒たちのように一応もっともらしい理由をかりそめにでも考えて釈明しなければならないとは端から感じていないようである。それは、自分の行動に言葉で根拠を与えることに対して、かつてほどの信頼を置いていないからだろう。言葉で表現することは、自分の純粋な気持ちに対して、あたかも偽りの行為であるかのように感じてしまうからだろう。

このように、現代の若者たちは、自らのふるまいや態度に対して、言葉で根拠を与えることにさしたる意義を見出しにくくなっている。言葉以前の内発的な衝動や生理的な感覚こそが純粋な自分の根源であると感じ、言葉によって作り上げられた観念や信念に根ざすものとは考えにくくなっている。自らの身体的な感覚を重視し、心や感情の動きといったものも、それと同様のものとして捉える傾向を強めている。

リストカットを繰り返す少女たちが、言葉ではなく身体によって自らの生きづらさを表現しようとするのも、おそらく言葉に対してかつてほど信頼を置いていないからだろう。言葉によって表現されたものは、それがどれほど強烈な内容だったとしても、別の言葉によって相対化されてしまう危険をつねに孕んでいる。しかし、言葉によって意味づけられる以前から存在する身体感覚は、そうした相対化の危険にさらされることがない。自らの身体感覚によって生きづらさに具体的な形を与え、また身体の傷によってその生きづらさを表現しようと試みるのは、言葉では語りえない絶対的なもののなかにこそ、純粋な真実が宿っていると彼女たちが感じているからだろう。

こうしてみると、第一章で触れた「むかつく」という表現も、じつは彼らの判断基準の身体感覚化を物語っていたことに気づく。たとえば、胃に「むかつき」を覚えるのは生理的な現象であって、社会的あるいは心理的な現象ではない。自分の意思でもコントロールできないような、内部からふつふつと湧《わ》き上がってくる抑えがたい感覚である。

したがって、ある状況に対する不快感や、ある人物に対する嫌悪感を表わすために、近年の若者たちが「むかつく」を多用するという事実は、そうした社会的に不快な感情を、身体的な感覚と同じものとして感じる傾向を強めていることの表われともいえる。だから、他人から悪口を言われて「むかつく」と同時に、テストの点が悪くても「むかつく」し、恋人にふられても「むかついて」泣くことになる。心の動揺の根拠がまったく異なるはずの感情を「むかつく」の一言で表現しうるのは、彼らの最大の関心事が、心の動揺の理由にではなく、動揺している身体的感覚そのものにあるからだろう。

このように考えると、不都合な状態や危険を示す「やばい」という表現や、恐怖の強さや気味の悪さを示す「鳥肌が立つ」といった表現が、今日の若者たちのあいだでは、それとは正反対の称賛や感動を表わす言葉としても使われる傾向にある理由がよく分かる。「この料理、やばいよね、鳥肌が立ったよ」といった表現が、非難の文脈ばかりでなく、最高のほめ言葉としても成立しうるのは、自分の気持ちが大いに高ぶったという点で、どちらも同じような身体感覚をともなっているからだろう。彼らがそこで表明したいのは、心を大きく動かされた根拠の具体的な中身ではなく、その身体感覚の高まりであり、その強度なのである。

近年のこのようなメンタリティの変化は、社会学者のR・ベラーの言葉を借りて、「善いこと」(being good) から「いい感じ」(feeling good) への評価基準の変転といってもよい（島薗進・中村圭志訳『心の習慣』みすず書房、一九九一年）。自分の感情や行為が妥当なものであるか否かは、もちろん一〇〇パーセントとはいわないまでも、かつては社会的な基準に照らして決まる度合がそれなりに高かった。しかし、いまや自分の生理的な感覚や内発的な衝動に照らして決まる度合のほうがはるかに高まっている。本人の感じ方への配慮が行き届かず、善悪の基準を外部から押し付けるようなものの言い方に対して、昨今の若者たちが「「上から目線」でものを言うな」と強い嫌悪感を示すのもそのためではないだろうか。

「善いこと」の根拠は自分の内部にあるわけではなく、社会的に存在するものである。だから、社会と自己のあいだに葛藤も生じうるし、その葛藤をめぐって、反社会的な物語や非社会的な物語も成立してきた。しかし、「いい感じ」の基準は自分そのものである。結局は同義反復にすぎないから、葛藤の生まれる契機はそこにない。こうして、物語も脱社会的なものとなる。ベラーが説くように、「行為はそれ自身では正しいとも間違っているともいえない。ただ、行為のもたらした結果が、また行為が引き出したあるいは表出した「いい感じ」が行為の善し悪しを決める」のである。

†「純粋な自分」というパラドクス

最近の若者たちが、身近な人びとに対して過剰な優しさと過敏な配慮を示すのは、政治社会学者の栗原彬が「自分に回帰していく〈やさしさ〉」と形容するように、それが自らの存在根拠そのものに関わるものだからである（『増補・新版やさしさの存在証明』新曜社、一九九七年）。だから彼らは、人間関係のマネージメントに互いの神経をすり減らし、その関係に少しでも傷がつくと、たちまち大変なパニックにおちいってしまいやすい。その関係の傷は、自らの存在基盤を脅かすような重大事だと感じられるのである。

思想や信条といった言語的な観念を通さずに、内発的な衝動や生理的な感覚のみに依拠した純粋な自分は、自分のふるまいと自分自身とのあいだにクッションを有していない。だから、相手とのあいだに生じた軋轢は、たとえそれが些細なものだとしても、あたかも自分という存在が全否定されたかのように受けとられやすい。純粋な自分であろうとすればするほど、他人との葛藤は自分の本質を脅かしやすいものとなる。そのため、他人との葛藤に対して、かつて以上に敏感な関係を営まなければならなくなっている。

このような状況下での人間関係の綻《ほころ》びは、彼らの自己肯定感を奥深くまで容赦なく傷つける。たとえば、学校での自分は生徒の役割を演じているだけだと思っていれば、仮に教師から叱られたとしても、それは生徒としての自分が否定されたにすぎず、自分の全人格が否定されたわけではないと思える。だから、さほど傷つかないでもすむし、いったん学校を出てしまえば、すぐに平常心に戻ることもできる。しかし、学校での自分も自らの本質をストレートを表わしたものだという思いが強ければ強いほど、もしそこに非難が加えられると、それは自分の全人格が否定されたかのような感覚におちいってしまう。だから、昨今の生徒たちは、教師からの何気ない一言にも大いに傷つきやすくなっているし、逆に反発を感じやすくもなっているのである。高校教師の喜入克が指摘するように、「先生は神様ではないのに、どうして私という一人の人間を評価できるのですか」といった不満を示す若者が増えているのもそのためだろう（『高校が崩壊する』草思社、一九九九年）。

同じことは、当然ながら友だち関係にも当てはまる。むしろ教師よりも親密感が強い分、そこから受けるショックも大きいといえる。しかし、だからといって彼らは、そのような関係から離脱することも、けっして好まない。むしろ、そうした人間関係が破綻してしまわないように、さらに繊細に配慮しあって葛藤の要素を徹底的に抑圧し、ガラス細工のように緊迫した関係を営んでいかざるをえない。なぜなら、その関係こそが、彼らの脆弱な自己肯定感を支える唯一の源泉となっているからである。純度一〇〇パーセントの自分を支えるためには、まことに逆説的ながら、周囲の人間からの絶えざるサポートが必要不可欠なのである。

言葉によって作り上げられた思想や信条が、時間をこえて安定的に持続しうるのに対して、自らの生理的な感覚や内発的な衝動は、いまのこの一瞬にしか成立しえず、まったく刹那《せつな》的なものである。状況次第でいかようにも変化しうるものである。社会という土壌に根を下ろさない浮き草のようなものだから、風向き次第でどちらへも簡単に流され、一カ所に留《とど》まることがない。当然ながら、その直感に根拠づけられた純粋な自分は、一貫性を保ち続けることが難しくなる。その時々の気分に応じて、自分の根拠も揺れ動くからである。だから彼らは、その不安定さを少しでも解消し、不確かで脆弱な自己の基盤を補強するために、身近な人びとからの絶えざる承認を必要とするようになる。現代の若者たちに見られる人間関係への依存度の高さはここから生まれている。

国連児童基金の調査データによると、「孤独を感じる」と答えた日本の一五歳は、先進主要国のなかでトップの約三〇パーセントである。二位のアイスランドが約一〇パーセント、以下、ロシアの約九パーセント、カナダの約八パーセントと続く。日本の若者の孤独感の高さは群を抜いているが、そもそも孤独感とは主観的なものである。私たちは、一人でいても孤独を感じないこともあれば、仲間といても孤独を感じることもある。日本の若者の孤独感が強いのは、彼らが特段に人間関係から孤立しているからではなく、むしろ人間関係に対する依存度が高く、それだけ関係のあり方に敏感だからだろう。

自分の純粋さを脱社会的に求める人間にとって、他者からの評価は絶対である。このようなメンタリティは、歴史学者のC・ラッシュがいうナルシシズムにきわめて近い。現代のナルシシズムについて、彼はこう述べている（石川弘義訳『ナルシシズムの時代』ナツメ社、一九八一年）。「ナルシシストは、自分が全能だという幻想にとらわれているくせに、その実、自分の自尊心を確認するのにも他に頼らなければならない。ナルシシストは喝采を送ってくれる相手がなくては生きていけない。」若者たちは、自分に陶酔しがちな人を指して「ナルが入っている」と揶揄《やゆ》するが、このような観点からすれば、脱社会的な純粋さに憧れる人びとは、その大半がナルキッソスの末裔《まつえい》ともいえる。

それに対して、第二章でも眺めたように、かつての若者たちが人間関係の強い絆にからめとられているように見えながら、その一方で孤独にも強く、むしろ孤高にふるまうことすら可能だったのは、自分の判断に客観的な色彩を与えてくれる社会的な根拠を自己の内面に取り込んでいたからである。その根拠が、つねに一定方向を示しつづける羅針盤の役割を果たして、彼らの自律性を支えてくれていたからである。だから、たとえ周囲の人びとから自分だけが浮いてしまおうとも、「我が道を突き進んでいく」と宣言することができた。いわば一般的・抽象的な他者による承認を感じとることができていたので、具体的な他者からの承認を現在ほどには強く必要としなかったのである。第一章で触れたD・リースマンは、このようなタイプの人びとを内部指向型と呼んでいる（『孤独な群衆』）。

†「分かりあえない」を前提とした関係

純粋な自分に強い憧れを覚える現代の若者たちは、かえって自分を見失い、自己肯定感を損なうという事態におちいっている。そのため、人間関係に対する依存度がかつてよりも格段に高まっている。しかも、自分の本質を生まれもった固有のものと感じているため、付きあう相手もそれと合致した人でなければならないと考えるようになっている。こうして、互いの関係も狭い範囲で固定化される傾向にある。ところが、特定の関係だけに過剰に期待をかけすぎると、それは逆に息苦しいものともなる。

さらに、自分の純粋さを脱社会的に求めるメンタリティは、そのまなざしを自分の内へと向ける傾向が強いため、他人と共有できる部分がどんどん減っていき、欲求の対象や価値観もおのずと多様化してくる。ある似かよった傾向を示す若者たちの一群をさして、かつては「○○族」のような括《くく》り方をすることが可能だったが、昨今ではそこまでの強い同質性が見られなくなり、「○○系」といった緩やかな括り方しかできなくなっている。その結果、狭く固定化された人間関係の内部においてすら、ものごとの判断をめぐって相手と衝突する可能性が高くなっている。

多くの人びとの関心が似かよっており、ほぼ同じ方向を見ていた時代なら、たとえ各人が自由にふるまったとしても、そこには重なり合う部分が少なくなかった。しかし、それぞれが内閉的に自分らしさを追求するようになると、互いの価値観や欲求の内実も多様化する。かくして、浜崎あゆみが歌う「flower garden」の詞にあるように、「君と僕とは歩く速さも 見てきた景色も 想い告げる術もまるで違って／例えばそうね 僕が絶望感じた場所に 君は奇麗な花見つけたりする」といった光景が日常茶飯事のものとなる。

このように、純粋な自分に対する憧れはかつて以上に高まっているのに、それをサポートするための人間関係を維持する条件のほうはかつて以上に厳しくなっている。互いの理解可能性を素朴に信じて、それを前提に人間関係を築いていくことはもはやできない。「分かりあえない感」と若者たちが表現するように、むしろ理解不可能性を前提とした人間関係を築いていく技術の必要性が高まっている。彼らは、じゅうぶんには分かりあえないかもしれないことを、じゅうぶんに分かりあっている。「優しい関係」とは、このようなアイロニカルな状況を乗り切るために、互いの対立の回避を最優先の課題として、彼らが身につけた人間関係のテクニックである。その意味において、この現代社会に適応するために編み出された工夫の産物である。

この人間関係は、気分に応じて浮遊する脆弱な自己の存在感を支えるために、すなわちその不確かな自己肯定感に安定した錨《いかり》を下ろすために、彼らに残された最後の資源である。

だから、身近な人びとからつねに受け入れてもらえるように、自分のキャラを巧みに演出していかなければならない。そして、たとえそこに自己欺瞞を強く感じたとしても、この危うい関係を死守していかなければならない。

大人たちの目には、現在の若者たちの人間関係が、コミュニケーション能力の不足から希薄化しているように映るかもしれない。しかし、実態はむしろ逆であって、かつてより葛藤の火種が多く含まれるようになった人間関係をスムーズに営んでいくために、高度なコミュニケーション能力を駆使して絶妙な距離感覚をそこに作り出そうとしている。第一章で指摘したように、現代の若者たちは、互いに傷つく危険を回避するために、人間関係を儀礼的にあえて希薄な状態に保っているのである。

昨今の若者たちは、可能ならどこまでも純粋な自分でありたいと願っている。そして、純粋な関係を築きたいと願っている。しかし現実には、その想いが強ければ強いほど、かえって自己欺瞞《ぎまん》に満ちた人間関係を営んでいかざるをえなくなる。ひきこもりの問題も、この解消しがたい矛盾から派生したものだろう。そこには、純粋な関係に対する過剰な期待が透けて見えるようである。だから、かえって現在の人間関係に偽りの感覚を抱き、「この人間関係は本物ではない」と絶望を募らせてしまうのではないだろうか。

したがって、ひきこもりの青年たちは、必ずしも対人関係を築く能力の低い人びとではない。たとえば、生きづらい日本社会から脱出して、アジアの都市に長期滞在するバックパッカーの青年たちには、ひきこもりの青年と似たメンタリティを示す人びともけっこう多い。ジャーナリストの下川裕治は、こうした青年たちを「外こもり」と評している(『日本を降りる若者たち』講談社現代新書、二〇〇七年)。彼らは、そうした状況を自ら「沈没」と表現するが、実際にはずっと宿のなかにひきこもっているわけではなく、むしろ現地での「本物っぽい」人間関係を楽しんでいたりもする。

このように、ひきこもり状態への移行の容易さには、純粋な関係に対する期待値の高さという、まさに現代的なメンタリティが投影されている。ひきこもりの青年たちは、「優しい関係」に付随する自己欺瞞に耐えきれず、純粋な自分を守ろうとして他人とのコミュニケーション回路を切断しているのかもしれない。しかしその結果、今度は他人からの承認という支えを失って、その純粋な自分の肯定感を維持しづらくなっているようにも見受けられる。純度一〇〇パーセントの自分への想いをどこかで断ち切らない限り、このジレンマから逃れる道を見つけだすことは難しいだろう。

†遮断されるコミュニケーション回路

水戸市で両親を殺害した青年も、土浦市で両親と姉を殺害した青年も、自らのひきこもりを妨げる者としての家族に犯行の刃《やいば》を向けている。従来なら、家族の押しつけてくる世界観が自らのそれと衝突したとき、自分の方から家を出ることが一般的だったはずである。ところが、この二人はそうせずに、逆に親を消去することで、さらに家に閉じこもろうとした。いや、そうせざるをえなかったのだともいえる。

大阪府河内長野市で二〇〇三年に発生した「ゴスロリ殺人事件」と呼ばれる家族殺傷事件には、このような感受性の反転が鮮明に表われている。それは、ある大学生が母親を殺害し、父親と弟に重傷を負わせるという事件だった。彼には、第五章で触れるようなゴシック・ロリータの趣味を共有する高校生の恋人がおり、この事件も二人で計画したものだった。彼らは、「一緒に暮らしたかったが家族が邪魔だった。だから家族を殺してそこに住もうと思った」と語っている。親が邪魔になった若い恋人たちは、かつてなら家出をしただろう。しかし彼らはそうせずに、親を殺してまでも自宅に留まろうとした。親と衝突したとき、自分たちが家を出るよりも、親を殺すほうが容易だと感じてしまう。この事件には、今日の若者たちのメンタリティの特徴が端的に反映されている。

彼らは、自らが家を出ないために、家族を殺さざるをえなかった。親とのあいだに葛藤が生じたとき、自分が家を出る道を選べず、親の側を消去せざるをえないのは、その葛藤の内実がかつてとは異なってきているからだろう。自分はとにかく社会へと羽ばたきたいのに、親をはじめとする家族の価値観がその前に立ちはだかる。これが、かつての青年たちに典型的に見受けられた葛藤の内実だった。しかし現在では、自分は何もできずに苦しんでいるのに、周囲や親はとにかく社会へ出ろと責め立ててくる。葛藤の内実が反転しているのである。茨城県で事件を起こした青年たちも、やっとの思いで自分を保っていた最後の砦《とりで》に、社会を体現しているかのような顔をした家族がさらに踏み込んできたとき、もはや逃げ場を失ったと感じたのではないだろうか。

この青年たちは、親を憎んで犯行に及んだわけではない。親との相克に耐えきれず、そのコミュニケーションを遮断するために暴力を用いたのである。犯行の原動力が憎しみにあるのなら、怒りの矛先が相手に向かっているという点で、まだしもコミュニケーションを志向しているといえる。しかし、彼らの犯行の原動力となったのは、「自分の地獄」という言葉に象徴されるような自らの存在に対する不安だった。その不安のためにさらに内側へ閉じこもろうとし、親を拒絶する手段として暴力が用いられた。その行為は、コミュニケーションを拒否したものといえる。このようなタイプの家庭内暴力について、ひきこもり青年への支援活動を行なっている田中俊英は、「暴力によって「他者」を抹消し、またもや「自己」にひきこもろうとしている」と述べている（「コミュニケーション拒否としての家庭内暴力」『少年育成』五〇巻一号、二〇〇五年）。

ひきこもりのある青年は、「「働け」というのはまっとうな意見。自分でも焦っている。でも、親に一方的に押しつけられると全否定された気になる」と、自らの心情を吐露している（『毎日新聞』朝刊（茨城版）、二〇〇四年一一月二三日）。社会の体現者たる親の期待にそうことができず、コミュニケーションも拒否せざるをえない自分は、最後の居場所である家を守ってくれる親からも見放されてしまうのではないか。その叱咤激励に応えられない自分は、最後の居場所さえも失ってしまうのではないか。察するに、茨城県の青年たちは、その強迫的な不安感に苛《さいな》まれたすえ、ついにパニックにおちいったのではないだろうか。

†「まなざしの地獄」の新たな位相

かつて社会学者の見田宗介は、「まなざしの地獄」と題した論考のなかで、一九六八年に一九歳の青年N・Nが起こした無差別連続殺人事件を題材に、当時の若者たちが抱えていた生きづらさの内実を巧みに描いてみせた（『現代社会の社会意識』弘文堂、一九七九年）。集団就職のために青森から上京した青年N・Nにとって、東京という大都会での生活は、貧しき故郷の自分を断ち切り、自らを再生するべく全存在をかけた営みだった。しかし、やがて彼は、憧れだったはずの都会生活に耐えがたい息苦しさを覚えるようになる。自分を見つめる他者のまなざしを通して、もって生まれた自分の属性から逃れられないことをまざまざと思い知らされていったからである。

都会でのN・Nは、誰よりもいち早く髪を伸ばし、ネクタイを身につけ、舶来のライターを使用した。すべては、自分が新しい存在となるための道具立てだった。彼は、ハイカラな自分を装うことで周囲の人びとのまなざしを変え、それをテコに自らを再生させようと企てたのである。そのように彼を駆り立てた背景には、見田の言葉を借りれば、「飛翔する自由への意思」があった。しかし、周囲の人びとのまなざしは、現実にはむしろその意思をさえぎる桎梏として作用する。センスなく着飾った彼の出立《いでた》ちはまさに田舎者のそれにすぎず、もがけばもがくほど、かえって彼は「まなざしの地獄」へとはまり込んでいったのである。

問題は彼の装いではない。そこに表象された彼の「飛翔する自由への意思」だった。生得的な属性を克服して獲得的な属性へ。これは彼に限らず、当時を生きた若者たちに共通するメンタリティである。彼が憎悪し、犯行の刃を向けたのは、その意思を阻もうとする他者の視線だった。再び見田の言葉を借りるなら、「N・Nが、たえずみずからを超出してゆく自由な主体性として、〈尽きなく存在し〉ようとするかぎり、この他者たちのまなざしこそ地獄であった。」第二章の主人公の一人、高野悦子もそうだったように、彼は

「私を見るな」と叫んでいたのである。

N・Nは、貧しさからいったん自分を捨てた親を憎んでいた。だから、彼の無差別殺人は、世間一般に対する憎しみであると同時に、親に対する憎しみの発露でもあった。彼は、自らの手記にこう書いている（永山則夫『無知の涙』合同出版、一九七一年）。「あなた達へのしかえしのために、私は青春を賭けた。それは世間全般への報復としてでもある。」彼は、嫌悪していた家を出た。故郷も捨て、見知らぬ都会へと旅立っていった。

一転して、現在に目を向けてみれば、若者たちのあいだでは、ほとんど反抗期を経ないで成長する人びとが増えている。ベネッセ未来教育センターが中学生を対象に二〇〇四年に行なった調査では、七〜八割の生徒が親との関係は良好だと答えている。ひきこもりになる青年には、思春期に反抗期がみられないという特徴があるとよくいわれるが、それは彼らだけに見られる特別な傾向などではなく、近年の若者たちに共通する一般的な傾向なのである。

思春期に親との葛藤を経験していないという事実は、彼らの内面に「飛翔する自由への意思」が育まれていないことを物語っている。彼らは、親の価値観と衝突させるべき自らの価値観を作り上げていない。そもそも前章で指摘したように、子どもに対して壁のように立ちはだかるタテの親子関係ではなく、むしろ友だちのように何でも語りあえるヨコの親子関係を望む親たちが、現在は急速に増えている。だから、思春期を過ぎてもいっこうに社会に出ていくそぶりを見せない子どもを前に、親の側が焦りを覚えて社会への出立を迫りはじめると、とたんに子どもの側はパニックにおちいってしまう。

しかも、友だちのような親子関係でありたいという親の意向を敏感に感じとる子どもたちは、その期待に応えようとして、親とも「優しい関係」を結ばざるをえなくなっている。それが、今日の友だち関係の基本原理だからである。だから皮肉にも、親が子どもに対等な人間関係を望めば望むほど、子どもの側は、たとえば第一章で扱ったいじめの被害のような本当に深刻な悩みを親に相談しづらくなってしまう。本音で語りあうよりも、その良好な関係の維持を優先させようとするからである。こうして、「優しい関係」の重さに耐えがたい人びとは、親子関係からも撤退せざるをえなくなっている。

近年、アダルト・チルドレンという言葉が世間の注目を集めたように、自分は親から受け入れられてこなかった、肯定されてこなかったと感じる青年たちが増えている。全般的にモノがまだ不足していた時代には、親もモノに託すことで愛情を示しやすかったのに対して、今日ではその方法が難しくなっているという事情もあるだろう。子どもたちは、もはやモノになど飢えてはいないのだから、いくらモノを与えられたとしても、「自分が欲しいのはそんなものじゃない、もっと精神的なものだ」と感じて当然である。

しかしそれ以上に、一般的にいって、かつてより親の養育水準が下がっているとは思えないのに、青年たちの多くが親の養育態度に強い不全感を抱くようになっているのは、受け入れられたいという彼らの欲求水準のほうが、親の養育水準よりも勝ってきたからだろう。親から一方的に受け入れられる存在としてではなく、むしろ親と対等な存在として扱われているために、かえって自らの思いを安心して親にぶつけることができず、その結果、自己承認に対する期待値が大幅に高まっているのである。

もちろん、そこには例外もあるだろう。たとえば、親による児童虐待の存在を否定するわけではない。しかし、事件が明るみに出るたびに、当事者たちを知る近所の人びとなどが、「普段から仲のよい友だち親子に見えた」と語ることが多いのも事実である。そうしてみると、親の側が子どもと対等な関係だと強く感じるようになっているからこそ、むしろその子どもの態度に親が我慢できず、つい手を出してしまうケースも増えているのではないだろうか。見かけの上では明らかに虐待であっても、当の親たちの意識からすれば、自分の思いを無理に分からせようとしたり、あるいは自分の感情をストレートにぶつけようとして、対等な相手と喧嘩をしているような錯覚におちいっているのかもしれない。

いずれにせよ、昨今の親子関係においては、当事者たちの主観的な意図とその客観的な結果とが大きく食い違うようになっている。子どもの個性を尊重し、そこに対等な関係を築きたいと願う、表面上は物分かりのよい態度を示す親たちの増加が、彼らの意図していなかった負の結果を生んでいる。私たちは、ここに「まなざしの地獄」の新たな位相を見出すことができるだろう。

†まなざしの不満、まなざしの不安

かつての青年たちが「私を見ないで」と叫んでいたとすれば、現在の青年たちは「私を見つめて」と叫んでいる。かつての青年期の主要なテーマの一つは、親をはじめとする周囲の人間のまなざしからいかに逃れるかだった。自分が「見られているかもしれない」うっとうしさ、その「不満」からいかに解放されるかだった。ところが近年は、周囲の人間から自分が「見られていないかもしれない」ことによる寄辺なさ、その「不安」のほうが強まっている。周囲のまなざしから解放されることによってではなく、むしろそれを心ゆくまで浴びることによって、自分の存在を確認したいという欲求のほうが強くなっている。現代の青年たちにとっては、そちらのほうがよほど切実な問題なのである。

昨今の若者たちのあいだで、このような「見られていないかもしれない」不安が募っているのは、先に述べたように、生得的な属性に過度のウエイトを置いた純粋な自分を希求し、そのために自己肯定感の脆弱さが強まっているからである。そのままでは自分を肯定

しづらいために、親をはじめとする親密な人びとへの依存度が高まっているのである。彼らは、第二章のもう一人の主人公、南条あやもそうだったように、「見られていないかもしれない」ことの不安におののき、「私を見つめて」と叫んでいる。N・Nとは真逆に、獲得的な属性を放棄して生得的な属性へ。これは南条に限らず、現代を生きる若者が共有するメンタリティである。

二〇〇四年三月、東京都のある区立中学校で、卒業間際の三年生の男子生徒一〇人が学校の放送室を占拠して、机や椅子でバリケードを築くという事件があった。若者によるバリケード封鎖と聞くと、つい学生運動のような異議申し立てを思い起こしてしまいがちだが、この事件を起こした少年たちにそのような思惑はいっさいなかった。彼らは、かつてのように大人の管理のまなざしをシャットアウトするためにバリケードを築いたのではなく、むしろ大人の注意を惹くために派手な行動を起こしただけだった。この中学校の関係者も、日頃から「大人の気を引こうとしているように見えた」と語っている（『毎日新聞』朝刊、二〇〇四年六月二八日）。

また、二〇〇六年の後半に引き続いたいじめ自殺の背後にも、この「私を見つめて」という強い承認欲求が潜んでいるように思われる。自殺を企てたいじめの被害者たちは、第一章で論じたように、「優しい関係」に孕まれた対立点の表面化が巧みに回避されることで、いじめの傍観者たちが自己肯定感の基盤を補強していくのと引き換えに、自らの肯定感をとことん剝奪されてしまった存在である。「私を肯定的に見つめてほしい」という想いは、ふつうの若者たち以上に強かったにちがいない。

確かに、一連のいじめ自殺の背景には、自殺問題に詳しい精神医学者の高橋祥友《よしとも》が指摘するように、マスメディアの影響による「群発自殺」の側面があったことも否定できないだろう（『群発自殺』中公新書、一九九八年）。しかし、連日の報道から子どもたちが受けた影響が、死への衝動に対する単純な刺激だったとは思えない。むしろ、自殺した生徒たちを嘆き哀《かな》しみ、その短い人生を悼む周囲の人びとのすがたを目の当たりにして、ここに究極の自己承認があると誤解してしまった側面もあるのではないだろうか。すべてが本物かどうか疑わしさは残るものの、いじめの被害を訴えた一連の自殺予告手紙がその後に続いたことも、それを示唆しているように思われる。

自己肯定感の脆弱さにたえず苛《さいな》まれている人びとにとって、とりわけ極限までその肯定感を剝奪されてしまったいじめの被害者にとって、連日にわたるマスメディアの映像は、大きな誘惑と映ったにちがいない。その意味では、死への欲求というよりも、自己承認への欲求が刺激されたのである。だから、死の意味が相対的に軽くなってしまい、死へと向かう強い決意のようなものが感じられなくなっていたのではないだろうか。しかし、究極の自己承認が自死によって達成されるなどと思い込まれていたとしたら、それはあまりにも切なく悲しいことである。

†自分を見つめてほしい若者たち

日々、夜の街角で若者たちと接しつづけ、「夜回り先生」として知られている水谷修は、自らのウェブサイトのなかに次のように書き綴っている（「水谷修先生の夜回り日記」第四八回、二〇〇五年一月一二日）。「私は昨年八万通近いリストカットやオーバードーズ（処方薬などの大量服薬）、自殺願望を持つ子どもたちからの相談メールや電話の対応に追われました。その中の〔中略〕八割は、「何でこんなことで」というような、大人からみたら些細な理由から、追いつめられた子どもたちからのSOSでした。たとえば、「友人が無視したから死にたい」「両親が自分を置いて出かけたから死にたい」「恋人と別れたからリストカットした」「だれとも電話が通じないから死にたい」などです。〔中略〕一人でいることができず、常に出会いや携帯電話、メールでだれかとつながっていないと寂しくていられない。ちょっとした失敗や心に刺さる一言で、がたがたに心を傷つけられてしまう。」

このように、「見られることの不満」から、「見られないことの不安」へと、若者たちの生きづらさの内実は反転している。ひきこもり気味だった埼玉県のある青年は、自分を受け入れてくれていた唯一の友人から見放されるかもしれないという恐怖心に駆り立てられ、彼から借りたお金の返済日に、そのお金を工面しようとして強盗殺人事件を起こしてしまった（『朝日新聞』朝刊、二〇〇四年一二月一八日）。

茨城県で家族を殺害した青年たちも、N・Nのように自らの飛翔を妨げる者に対してではなく、むしろ自らのひきこもりを妨げる者としての家族に犯行の刃を向けた。彼らは、家族とのコミュニケーションを拒否せざるをえなかった一方で、じつは心の底では「私を見つめて」と叫んでいたのではないだろうか。それがついに叶《かな》えられなかった絶望が、悲劇的な結果を導いてしまったのではないだろうか。その背後には、なんともやるせない彼らの自己肯定感の低さが潜んでいるように見受けられる。水戸市の青年が思わず吐露した「自分の地獄」という言葉は、まさにそれを象徴したものだろう。

では、純粋な自分への強い憧れから生まれた解消しがたい矛盾のなかで、「まなざしの地獄」の新たな位相に直面している多くの若者たちは、この困難な状況とどのように向き合っているのだろうか。「優しい関係」のツラさをうまくやりすごすために、具体的にどのような手立てを講じているのだろうか。次章では、当初の技術開発者たちの予想を見事に裏切り、若者たちが独自に編み出した新たな使用法によって爆発的に普及した携帯電話というコミュニケーション・メディアに着目しつつ、この問題を考えていくことにしよう。

第四章

ケータイによる自己ナビゲーション

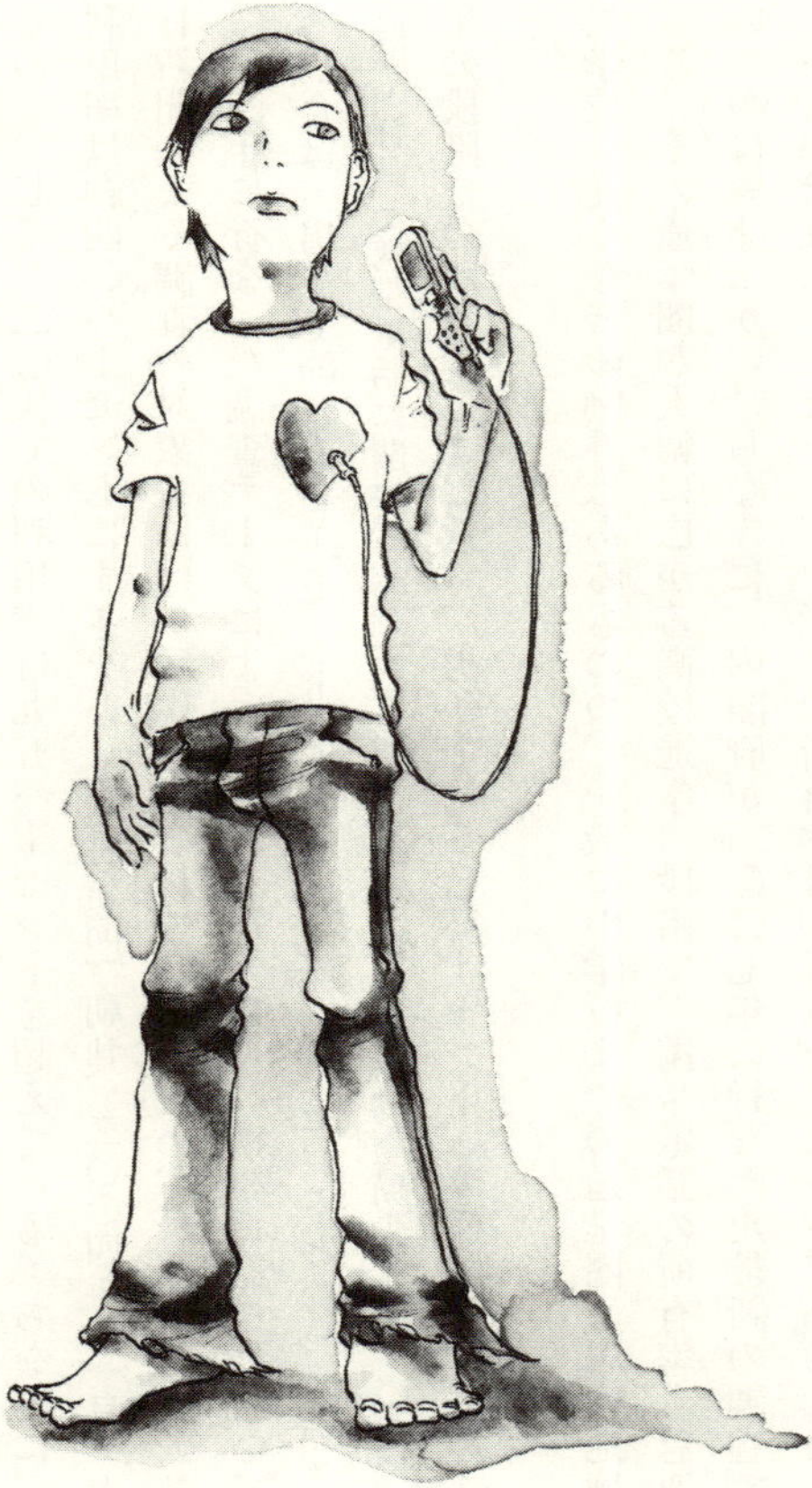

†ケータイはもはや電話機ではない

朝日新聞が二〇〇四年に行なった携帯電話の利用状況に関する調査によれば、若い世代ほど携帯電話を積極的に利用している。たとえば、四〇代での利用率が約八〇パーセントであるのに対して、二〇代での利用率は九五パーセントを超えている。ちなみに、六〇代での利用率は約四〇パーセントにすぎない（『朝日新聞』朝刊、二〇〇四年一一月一七日）。

朝日新聞による調査の対象者には一〇代が含まれていないため、社会学者の矢島正見らが二〇〇四年に行なった調査データによってそれを補うなら、携帯電話を所有している高校生の割合は、男子で約八七パーセント、女子で約九四パーセントとなっている（『青少年の意識・行動と携帯電話に関する調査研究報告書』警察庁生活安全局少年課、二〇〇四年）。中学生の段階での所有率はまだ低く、男子で約二〇パーセント、女子で約四〇パーセントである。

私立学校へ通うなどの例外はあるものの、一般に中学校までの通学圏は居住地域に限られている。その通学圏が大幅に広がる高校進学の段階で、携帯電話の所有率も急速に高まっていくのは興味ぶかい。ちなみに、内閣府が二〇〇七年に行なった最新の調査でも、高校生の所有率は九六パーセント、中学生の所有率は約五八パーセントである。ともに増加傾向を示しながらも、両者の格差は依然として残っている。

一方、朝日新聞の調査データから携帯電話を所有している人びとの利用形態をみると、四〇代において音声通話のほうを多く使う人びとと、メール交換のほうを多く使う人びとの比率は、男性で約三対一、女性で約半々である。それに対して、二〇代における比率は男性で約半々、女性では約一対三と逆転している。ちなみに、六〇代でメール交換のほうを多く使う人びとはきわめて少数である。

また、矢島らの調査データから高校生による携帯電話の利用形態別頻度をみると、音声通話の発信回数では、一日に平均して一～二回と答えた者が男女ともにもっとも多く、それぞれ全体の過半数を占めている。それに対して、メール交換の送信回数では、一日に平均して二〇回以上と答えた者が男女ともにもっとも多く、男子で約五割、女子では約六割に達している。

以上の調査データから分かるように、一〇代後半をピークにして若い世代ほど、一般的な傾向として携帯電話と密接な生活を送っている。しかも、その利用形態においては、音声通話よりもメール機能を多用する傾向が強い。その傾向は近年とくに強まってきており、NTTアドが一五歳から五九歳を対象に行なった調査では、二〇〇〇年には一週間に約二一回だった固定電話からの発信回数が、〇三年には約一五回へと減少しているのに対し、携帯電話からの音声通話の発信回数は両年とも約一五回と横ばいで、メールの送信回数は約八回から約二〇回へと激増している。

さらに、総務省の調査によると、携帯電話などの移動端末によるインターネットの利用者数は、パソコンによる利用者数を二〇〇五年に抜いている。とりわけ一〇代の若者においてその利用の比重が高く、一三～一九歳の六四パーセントが、毎日利用するネット機器として携帯電話を挙げている。先ほど触れた内閣府の調査データでも、パソコンでネットを利用する高校生が約七五パーセントであるのに対し、携帯電話で利用する高校生は約九六パーセントとなっている。

利用頻度のこのような傾向からすると、携帯電話は、もはや第一義的な意味では電話機とみなされていない。むしろ、メールを送受信するための装置であり、インターネットに接続してウェブサイトを閲覧するための装置である。たまたま電話としての機能がそこに付いているにすぎない。したがって、本章ではこれ以降、この機器を携帯電話と呼ぶことをやめ、若者たちの一般的な呼称に則ってケータイと呼ぶことにしたい。

†「ふれあい」のためのメディア

ケータイから送信されるメールは、独自の文字変換機能が進歩してかなり便利になったとはいえ、パソコンから送信されるメールと比較すれば、それでもまだ文字を入力するのに手間がかかるため、その情報量は少ないといえる。ケータイを用いて交換されるメールは、コミュニケーション・メディアとしては不十分といわざるをえない。にもかかわらず、以上に見てきたようにケータイ・メールの利用頻度が急速に高まっているのは、それが従来の意味でのコミュニケーションとは異なる目的で用いられるようになっているからである。結論を先取りしていえば、自己ナビゲーションのためのメディアとして用いられるようになっているからである。

社会学者の若林幹夫の言葉を借りれば、ケータイ・メールは「用件」を伝達するためのメディアではなく、「ふれあい」を目的としたメディアとして機能している（『ポケットの中の〈他者〉』『毎日新聞』朝刊、一九九七年三月九日）。メールで交わされるメッセージの内容自体はさほど重要ではなく、メールによってメッセージを交換しあう行為それ自体のほうに重要な意味がある。そこには「じゃれあい」や「愛撫」といった効果が期待されているのである。

ケータイ・メールの交換においては、即レス（メールを受信したらその場で直ちに返事を送ること）が基本的なマナーとして期待されている。とりわけ若い世代ではその傾向が強い。一日の生活時間のなかで彼らがもっとも不安になるのは、たとえメールが届いても即レスを返すことのできない入浴中だという。もっともくつろげるはずの時間が、もっとも不安な時間となっているのである。即レスがそれほど強く求められるのは、メールに載せられるメッセージ内容の交換が第一の目的ではなく、メールを交換することによる「ふれあい」が第一の目的だからである。社会学者の北田暁大の用語を借りるなら、彼らのコミュニケーション欲求の背後にあるのは、何かを伝えようとする「意味伝達指向」ではなく、つながること自体をめざす「接続指向」である（『広告都市・東京』廣済堂出版、二〇〇二年）。

ある中学生は、次のように語っている（香山リカ・森健『ネット王子とケータイ姫』中公新書ラクレ、二〇〇四年から重引）。「結局、何を話すかじゃなくて、どれくらい速くレスが来るかどうかが、問題なんですよね。相手だってそうだと思う。お互い、向こうが自分にどれくらい気があるか、いつまでもさぐりあってるだけ。それも疲れるけど、やめると不安。」この言葉から推測されるように、即レスを返さないという行為は、言ってみれば、タッチしてきた相手の手を振り払うようなふるまいと感じられているのである。

じっさい、ケータイの利用に関して社会学者の中村功が行なった調査でも、用件連絡が主たる目的の場合には、音声通話のほうが優先的に選ばれる傾向がうかがえる（「フルタイム化する若者の人間関係」時事通信社、二〇〇一年二月配信記事）。メールは、むしろ「おしゃべり」の道具なのである。だから、そこでは絵文字や方言、擬音語、長音符号、幼児化表現、ギャル文字などが多用されることになる。

最近は、ケータイ端末に内蔵されたデコメ（デコレーション・メール）機能に取って代わられた観があるものの、たとえばギャル文字では、「なかいいなぁ」を、「十ょ《な》カヽ《か》レ」《い》レ」《い》十ょ《な》ァ」と表記するように、一般の文字と比較して入力の打鍵数が倍に増えるので、必然的に情報量は少なくなってしまう。しかし、たんにビジュアル上のインパクトを狙っているだけではなく、それだけ相手のために入力の時間をかけたという事実が、それだけ相手のことを大切に思っているという気持ちを伝える手段ともなる。中村の言葉を借りれば、そこには「べたべたとした関係」が成立しているのである。

†触覚器官としてのケータイ端末

郵便局をつうじて自宅へ配達されてくる手紙を受けとる場合も、自宅の固定電話にかかってきた電話をとる場合も、最初に接するのが自分とは限らないから、メッセージを運んでくる人手の介在がつねに感じられる。それに対して、ケータイとは基本的に肌身離さず持ち歩く装置だから、メッセージが自分の身体にじかに届けられるような実感があり、人手の介在をほとんど意識させない。

ケータイを利用しているある若者は、「人の言葉が自分のポケットの中にまで届く実感がある」と述べている(『読売新聞』朝刊、二〇〇四年三月一七日)。社会学者の大澤真幸の表現を借りれば、ケータイによる通話やメール交換は、手紙や固定電話と違って「極限の直接性」を有している(「メディアの再身体化と公的な知の不在」『環』二〇号、藤原書店、二〇〇五年)。かつてメディア学者のM・マクルーハンが指摘したように、もともと電子メディアは触覚的なメディアだが、とりわけケータイの触覚性には直接的な感覚がともなっている。

ケータイに代表されるパーソナル・メディアのこのような特性について、先ほど触れた若林は、ポケベルの時代からすでに次のように指摘していた(前掲記事)。「互いに顔を突き合わせ、姿をさらすことが、しばしばコミュニケーションに様々な構えや緊張を生み出してしまうことを考えれば、身体的には決して出会うことなしに共にある関係を可能にする電気的なメディアは、ある意味で理想のコミュニケーション・メディアである。電話やポケットベルを介して現れてくる他者は、決して姿を現さず、視線を投げかけてくることもないにもかかわらず、物理的な身体をもった他者よりもずっと近くから話しかけてくる。実際、電話やポケットベルほど身体に密着した位置から親密に話しかけてくる他者など、メディアの外側の世界には滅多に存在しない。」

このような側面に着目するなら、ケータイとは、自分の内面が外部世界とじかに触れ合う触覚器官のようなものだといえる。一般的にいって、身体的な感覚をともなっており、しかも自らの内面に関わるものは依存症を引き起こしやすい。ケータイ依存やメール依存と呼ばれる現象は、ケータイが有しているこのような身体性から生じている。精神科医の香山リカらが行なった調査によると、依存症と思われるケータイ利用者は全体の約六パーセントほどだが、一〇代から二〇代に限れば約一〇パーセントに達している（「ケータイなしではいられない人の心理的傾向」『モバイル社会フォーラム二〇〇七』報告資料、モバイル社会研究所、二〇〇七年二月三日）。逆に、身体性を有しておらず、自己を相対化しうるものは、手紙がそうであるように依存症になりにくい。

ところで、ケータイ・メールは文字数が極端に少ないため、受け手の側がその内容を解釈するときの自由度が高くなる。したがって、メール依存症とは、濃密なコミュニケーションに対する嗜癖《しへき》ではなく、むしろ「つながること」それ自体に対する嗜癖である。一般的にいって、嗜癖の対象は、それを得ることから生まれる快楽よりも、それを失うことに対する不安のほうが強くなりがちである。ケータイ依存やメール依存においても、相手とつながりつづけることから得られる快楽よりも、それが切断されることに対する不安のほうが強い。一四〇ページで引用した矢島らの調査によれば、ケータイ・メールのやりとりを終わらせることができず、延々と続いてしまうことが「よくある」「時々ある」と答えた高校生は、男子で約六割、女子で約七割に達している。

†身体性を強調するコミュニケーション

一般に、メールやチャット、あるいはウェブ掲示板への書き込みなど、いわゆるネット・コミュニケーションの世界では、文字情報だけでのやりとりがまだ主流であり、しかも互いの匿名性を保ちやすいことから、身体性にとらわれない交流が行なわれているかのように思われがちである。しかし、実態はむしろ逆で、そこでは身体性を過度に強調したコミュニケーションが行なわれている。たとえば、ネット上では、性別は希薄化するどころか、むしろ逆に強調される傾向にある。

図3
© moeruavatar. com

ネット上に置かれる自分の分身としてのキャラクターはアバターと呼ばれるが、中性的なアバターはほとんど見かけない（図3）。若者に大人気のゲームサイト「モバゲータウン」を覗いてみても分かるように、むしろ、性別の「らしさ」を過度に強調したキャラクターばかりである。また、中性的な文体による書き込みも少ない。

ネカマと呼ばれる男性の多さが示すように、じっさいの性別を偽ってふるまうことはあっても、性別をぼかすことは少ない。さらに、文字情報だけでのやりとりの場合には、必ずといってよいほど、(*^-^*)や(^_^;)といった顔文字が多用される傾向にある。これもまた、文字のみの交信に少しでも身体の痕跡を残そうとする試みといえる。

このように、ネット・コミュニケーションの世界では、一般に身体性が強く意識される傾向にあるが、とりわけケータイの場合には、その身体性がバーチャルな世界にとどまることなく、リアルな身体性とストレートに結びつきやすい。自分の身体に密着させて肌身離さず持ち歩くケータイは、先に述べたように「極限の直接性」を有しているからである。

図4

提供：ネイルサロン アンジェ

若い世代の女性が用いるケータイには、その表面にさまざまなデザインの装飾がマニキュアなどでペイントされ、ストーンやビーズで飾られていることが多い。ケータイ・アートやデコ電(デコレーション電話、図4)と呼ばれるこれらの装飾は、ペイント材料にマニキュアが用いられることからも類推されるように、指先の爪にネイル・アートを施すときの感覚ときわめて近い。どちらも、自らの触覚の先端部に対する強い思い入れの表われだからである。

ある若者は、「ケータイがなくなると自分の一部がなくなる」と述べている（『毎日新聞』朝刊、二〇〇三年六月二二日）。若い世代の人びとにとって、ケータイとは自分の身体の一部である。しかも、指先がそうであるように、身体性を強く感じさせる敏感な触覚器官である。そのような思いが込められているからこそ、既製品のまま使用するのでは納得できずに、少しでも自分らしいオリジナリティを出そうと表面に装飾を施すのだろうし、その感覚がさらに進んで分身のように感じられるようになれば、たとえば姫電のようにリボンやフラワーなどで過剰に着飾らせることにもなるのだろう。

天童荒太の『包帯クラブ』は、現代の若者たちが抱える生きづらさのエッセンスをすくい取ったような小説だが、そのなかに次のような一節がある（ちくまプリマー新書、二〇〇六年）。「心の内の風景と、外の景色は、つながっている……そう直観的に思ったときと同じで、わたしは、包帯を巻いて心が軽くなるのは、傷が治ったわけじゃなく、〈わたしは、ここで傷を受けたんだ〉と自覚することができ、自分以外の人からも、〈それは傷だよ〉って認めてもらえたことで、ほっとするんじゃないかと思った。」

心を傷つけられた時にいた「場所」に包帯を巻くという行為は、心の傷を可視化するための自傷行為と同じ役割を担っている。この場合、包帯は、傷口をふさぐためだけのものではない。人と人がつながり、自己承認を得るためのメディアとしても機能している。それも、自傷行為がそうであるように、強い身体性をともなったコミュニケーションを可能にするメディアとしてである。包帯によって心の傷口がふさがるとすれば、それはあくまでもコミュニケーションから得られた自己承認をつうじてだろう。

ケータイもそれと同様で、たんに他人との「ふれあい」を可能にするためだけのメディアではない。そのコミュニケーションには強い身体性をともなった自己承認への欲求が潜んでいる。だから、ケータイ端末への過剰な装飾もそうであるように、そこでは心のなかの風景が外の景色とストレートにつながっていく。その意味では、ケータイ依存やメール依存もまた自傷行為の一種といえるかもしれない。ケータイをいわば保護皮膜《ホータイ》にして、少しでも心を軽くしようと必死にもがいていると考えられるからである。

†リセット可能なネット上の関係

ケータイのバーチャル空間に形成される人間関係は、実際に向かい合ったリアルな関係とは異なり、コントロールが割合に容易である。ケータイによる音声通話では、いわゆる番通選択（かかってきた電話番号を確認してから、出るか否かを判断すること）を積極的に利用する若者が多い。この機能を用いることによって、どの呼び出しには応答し、どの呼び出しは無視するかを、自分で容易にコントロールすることができる。また、自分から音声通話を発信する場合には、端末装置のアドレス帳にすでに登録済みの者に限られる傾向が強い。

メールの送受信においては、未読のままでゴミ箱行きとなる着信メールがけっこうあることからも分かるように、このような人間関係のコントロールはさらに容易に、そして細やかなものとなる。着信したメールに返事を出す場合でも、どの程度の時間をおいてレスを返すかによって、自分の気持ちを暗黙のうちに相手へ伝えられる。大切な相手にはただちにレスを返すが、内心うとましく思っている相手にはある程度の時間をおいてからレスを返す。このような点で、ケータイとは、人間関係のマネージメントを行ないやすいコミュニケーション・メディアである。

先にも述べたように、ケータイは、世界とつながる触覚の先端器官である。だから、リアルな世界での付き合いを前提としない人間関係の場合には、ケータイを新たに買い替え、メールアドレスや電話番号を変更することで、それまでの関わりを一気にキャンセルすることも可能である。ケータイを取り替えることで、それまでの気まずい人間関係を一気に切り捨て、新たな触覚器官の下で、新たな人間関係を作っていく。ケータイのアドレス帳をきれいに整理しなおすことで、自分も生まれ変わるような感覚を得ることができるのである。

　ケータイ上に形成される人間関係は、このように自分で操作しやすいものである。たとえば、昨今の若者たちにとって、新しいケータイのアドレス帳に「この子は残す」「こいつはいらない」と相手を選《よ》り分ける基準は、「いっしょに過ごして楽しいか、話して楽しいか」だという（「女子高生はケータイで脱皮する」『AERA』二〇〇四年五月三一日）。そこでは、リアルな人間関係にともなう煩わしさは排除され、あくまでも自分の感覚的な好みだけが優先されうる。

　また、それとは裏腹な現象のようにも見えるが、合コンのような昨今の若者の集まりでは、参加者全員が出会ってすぐにケータイのアドレスや番号を教えあうことが多い。かつては、気に入った相手だけに番号を教えたものだが、いまは、それを断る気まずさに耐えられないという。「優しい関係」の下では、ネガティブなリアクションをできるだけ避けようとするから、教えることに対するハードルも低くなる。「番号は聞かれたら教える。別に抵抗はない。ヘンな人かな、と思っても今さら「携帯持ってない」なんてウソつけないし」「もし断られたら？　感じ悪いなあ」と彼らは語る（『毎日新聞』朝刊、二〇〇〇年八月二五日）。

　しかし彼らは、アドレスや番号を交換したからといって、そのすべての相手と実際に連絡を取りあうわけではない。電話がかかってきても出るかどうかは、番通選択で相手を確認してからその日の気分で決める。メールの場合も同様である。実際に相手と対面しているときは拒否の意思を表明しづらいが、相手が目の前にいないときは、電話に出ないことによって、またメールを返さないことによって、返すにしてもどの程度の時間をおくかによって、自分の意思表示を行ないやすい。こうして、最終的には人間関係のコントロールが行なわれる。

このような人間関係のコントロール術は、ケータイという装置の登場によって可能になったことではあるが、ケータイを使うあらゆる年齢層に見られる現象ではない。「優しい関係」を生きる若年層だけに特有の傾向である。二〇歳から五〇歳の有職者を対象にした調査では、年齢が上がるにつれて、「番号は限られた人にしか教えない」「電話が鳴ったらとりあえず出る」と回答する人の割合が増加する（『毎日新聞』朝刊、二〇〇〇年八月二五日）。

†ケータイ・メールによる地元つながり

社会学者の遠藤薫が行なった調査によると、仕事上の相手のように公的な関係の場合にはパソコン・メールが使われる傾向にあるのに対し、ケータイ・メールは日常的に親しい私的な間柄で使われる傾向にある（「モバイル・コミュニケーションと社会関係」『Mobile Society Review』一号、モバイル社会研究所、二〇〇五年）。しかも、一〇代の若年層においては、パソコン・メールが使われる機会はあまり多くなく、ケータイ・メールの利用頻度のほうが圧倒的に高い。

また、社会学者の辻大介と三上俊治が行なった調査によれば、他人と親密な関係を築きたいという期待が高い人ほど、ケータイ・メールをやりとりする頻度も高くなる傾向にある（「大学生における携帯メール利用と友人関係」情報通信学会第一八回大会・個人研究発表配布資料、二〇〇一年）。一方、社会学者の富田英典がインティメット・ストレンジャーと呼ぶような、実際に会ったことはなく、ネット上だけで親密な付きあいをしている相手の存在は、確かにネット・コミュニケーションの特徴の一つではあるが、ケータイ・メールの相手としては、じつはあまり一般的なものではない（Keitai and the Intimate Stranger, in Ito, Okabe and Matsuda eds, *Personal, Portable, Pedestrian*, MIT Press, 2005）。

中学生と高校生を対象にＶＩＢＥ社が二〇〇七年に行なった調査でも、メル友の相手は「いつも会っている友だち」が八三パーセントで、「メールだけでつながっている友だち」の三二パーセント、「一度も会ったことのない友だち」の三六パーセントと比較して群を抜いて多い（複数選択設問）。これらのデータから判断すると、若年層のあいだで交換されるメールのほとんどは、親密な間柄だけを飛び交っているといえる。無限の世界へ開かれたネットのコミュニケーションは、匿名的な人間関係の形成を促しているといわれるが、若年層のメールに限っていえば、むしろ閉じられた親密な人間関係のマネージメントに寄与しているのである。

近年の若者たちのあいだでは、地元から遠く離れた高校や大学に進学しても、あるいは就職したあとでも、小学校や中学校までの地元つながりがそのまま保たれる傾向にある。これまで指摘してきたように、生得的な属性への思い入れが強くなっているからである。また、そのために、同質的なつながりを強く求めるようになっているからでもある。そして、原理的には全世界へと開かれているネット上を飛び交うケータイ・メールも、皮肉なことに、この閉じられた地元つながりの維持を可能にする手段として役立っている。

本章の冒頭で指摘したように、一〇代におけるケータイの所有率は、高校進学とともに急増する。これは第一に、彼らの交友関係の広がりを反映したものだろうが、それに付け加えれば、そのような広がりのなかでさえも、依然として地元つながりを維持していくために、時間と空間の制約を受けずにすむケータイというコミュニケーション・メディアの必要性が高まっていることの反映でもある。彼らは、高校や大学へ進学した後も、あるいは会社へ就職した後も、小学・中学時代の地元の友だちとのつながりを保とうとするメンタリティを強めているし、相手の置かれた状況を気にせずにメッセージのやりとりができるケータイ・メールを駆使することで、実際にそれが可能になっているのである。

†自己確認のための常時接続ツール

以上の実態から推測できるように、ケータイ上の人間関係のコントロールは、じつはその機能に反して、あまり主体的に行なわれているわけではない。中村功の調査によれば、ケータイ・メールの利用頻度が高い人には、いつでも誰かとつながっていなければ不安になる傾向が強く見受けられる（「携帯メールのコミュニケーション内容と若者の孤独恐怖」橋元良明編『講座社会言語科学第2巻 メディア』ひつじ書房、二〇〇四年）。ケータイによる人間関係の選択は、その気になれば簡単にできるにもかかわらず、実際にはそう容易なことではない。

先ほどの合コンの例もそうだったが、ケータイを介した人間関係はコントロールが容易だと思えるので、とりあえずケータイのアドレス帳に相手の情報を登録しておくことへの敷居はかえって低くなる。その気になれば、いつでも削除可能だと思えるからである。ある若者はこう述べている（『読売新聞』朝刊、一九九九年五月五日）。「新しく出会ったら番号聞いて、とりあえず登録しておく。たくさんメモリーが入ってると、それだけ皆が自分のことを気にしてくれてるみたいで、なんだかうれしい。」

ケータイによるつながりへのこのような強迫的な観念について、社会学者の岡田朋之は次のように指摘している（「情報教育におけるケータイの利用について」『フォーラム「情報教育」』第一四号、日本文教出版、二〇〇二年）。「そこに友達からの連絡があるかないか、多いか少ないかというのは、連絡を受ける側の自分が周囲からどのように思われているかを推測するうえで重要な要素なのだ。それは、ケータイが若者たちにとっての「鏡」の役割を果たしているということになるだろう。このように、若者たちにとってはライフラインであり、自己を確認する「鏡」であるからこそ、ケータイは必要不可欠な存在となっているのである。」だから逆に、送る側の立場からいえば、たとえば即レスを返さないと、相手をうとんじていると誤解されてしまうのではないかと不安におののくことにもなる。

ところで、本章の冒頭で指摘したように、中学生の段階まではケータイの所有率がまだ低く、早くからネット・コミュニケーションに関心を抱くような子どもたちは、家庭にあるパソコンを利用してメールを送受信している。しかし、近年は出会い系サイトを悪用した事件が多発しているために、ネット教育の現場では見知らぬ人とのコミュニケーションを制限する方向へと動いており、子どもたちがチャットやメールのやりとりをする相手も、じつは学校や近隣の友だちに限定される傾向にある。

このような状況下で、中学生以下の子どもたちが交わすパソコン・メールは、高校生以上の若者たちが交わすケータイ・メールと、ほぼ同じような使い方をされている。長崎県佐世保市で小学生の少女が同級生を殺害した事件で、家庭裁判所の処遇決定文に、「交換ノートやインターネットが唯一安心して自己を表現し、存在感を確認できる「居場所」になっていた」（長崎家庭裁判所佐世保支部「処遇決定文」二〇〇四年九月一五日）と書かれたのも、おそらくこのような事情によるものだろう。彼らのネット・コミュニケーションは、人間関係の範囲を広げるよりも、すでに存在する人間関係の密度をさらに高める方向へ動いている。

†不安の強さが生み出す過剰反応

ある高校生は、自分の気に入らないメールが入ってきたケータイ端末を、思わず両手でひねって壊してしまったという。この生徒が激高したのは、ケータイがたんなる情報伝達の道具ではなかったからである。ケータイは、すでに指摘したように「極限の直接性」を有している。そのため、ケータイを媒介としたネット上で、自分と異質な人間と接触することは、きわめて容易に自己を傷つけやすい危険をはらんでいる。一般に「じゃれあい」が心地よいのは、互いに似かよった存在である場合に限られるからである。

したがって、ケータイによるネット・コミュニケーションでは、自分とは異質な人間に対して過敏な反応を示すようになる。ケータイ端末を経由してやってくる情報には心理的な距離感がなく、社会的な自己という殻を突き破って、じかに自分の内面へと入り込んでくる刺激のように感じられる。そのため、肯定されるべき自分と抵触しかねない異質な人間による言葉は、きわめて大きな不安の対象となるのである。

近年では、第一章で考察したいじめの一形態として、ケータイ・メールを使ったいやがらせも増えている。大人たちが想像する以上にその被害が深刻なのは、メールの受け手にこのような心理的メカニズムが働くからである。そんなメールは無視しておけばよいと大人たちは言うかもしれないが、現在の若者たちにとってそれは不可能である。先ほど触れたようにケータイは、彼らが日常生活を送る上でのライフラインであり、自己を確認するための「鏡」だからである。激高してケータイをひねり壊してしまった高校生も、すぐに新しいケータイ端末を購入している。

ところで、右にも述べたように、中学生以下の子どもたちが利用するパソコン・メールは、高校生以上の若者たちが利用するケータイ・メールとほぼ同じ役割を果たしている。したがって、ここに立ち現われてくる異質な人間もまた、彼らにとっては自分に対する脅威となり、大きな不安の対象となる。自己の内部へじかに浸透してくる異質なもののように感じられるからである。その感情は、自分と敵対する相手へ向けられる怒りの感情とは根本的に異なっている。

長崎県佐世保市の同級生殺害事件に対する家裁の処遇決定文には、次のような記述も見受けられる。「少年（引用者註：法律用語では少女も少年と表記）に対する反論を交換ノートに記載し、ホームページに名指しを避けながらも少年への否定的な感情を直截に表現したと見られる文章を掲載した。少年は、これを「居場所」への侵入と捉えて怒りを覚え、一旦はこれを回避的に対処したものの、更に被害者による侵入が重なったと感じて怒りを募らせて攻撃性を高め、とうとう被害者に対する確定的殺意を抱くに至り、計画的に本件殺害行為に及んだ。」「被害者の言動は、他人をして殺意を抱かせるようなものでは決してなく、被害者に特段の落ち度は認められない。」

この処遇決定文の記述からは、少女の殺意の根拠を測りきれない担当判事の戸惑いが透けて見えるようである。確かに客観的にみれば、「被害者の言動は、他人をして殺意を抱かせるようなものでは決してなく」感じられるだろう。しかし、加害者からすればきわめて大きな脅威と感じられていたにちがいない。加害少女は、被害少女の言動を「「居場所」への侵入と捉えて怒りを覚え」「侵入が重なったと感じて怒りを募らせ」たのではなく、生身の自分の内側へと浸透してくる異質なものと感じ、自己の存在を脅かす対象として不安を募らせた結果、それが攻撃へと転化されたのではないだろうか。

ネット空間において異質な人間に向けられる過剰な反応は、怒りの発露としては説明できない。この事件からもうかがえるように、むしろ不安の表出と考えるべきである。大きな不安を抱えている者にとっては、洗濯物が幽霊に見えてしまう例もあるように、じつは客観的な脅威など存在していなくても、当事者の一方的な思い込みや妄想だけでその感情が募っていきやすい。怒りの場合のように明白な根拠はそこに必要ないのである。

以上のようにケータイは、異質な人びとへと関係を広げていく装置としてではなく、むしろ地元つながりに典型的に見受けられるような、同質的な人間関係をうまく営んでいくための装置として役立っている。ここで重要なポイントは、同質的な地元つながりを保つためにケータイが使われているというよりも、ケータイという装置に媒介されることで、地元つながりの同質性が擬似的に保たれているという点である。現実には、たとえ地元の仲間であろうと、いつまでも同質性の高い人びとであるはずがなく、時を経るにつれて互いの異質性も膨らんでいくことだろう。しかし、彼らが集うネット上のバーチャル空間では、その異質な部分を切り捨ててしまうことが容易なため、主観的には、依然として同質的な仲間として立ち現われてくるのである。

†「優しい関係」に孕まれたジレンマ

前章で論じたように、現在の若者たちにとっては、身近な人びとからの承認に頼ることによってしか、危うい自己肯定感に客観的な色彩を与える術がない。しかし同時に、リアルな世界に形成される「優しい関係」は、互いの対立を認めない関係でもあるから、そこでありのままの自分を表出することはきわめて難しい。だから彼らは、一方では純粋な関係を求めながらも、他方では偽りに満ちた人間関係を営んでいかざるをえない。その結果、同質的なつながりへの期待値はますます高められていく。

他方、自分の支配力の及びやすい相手が身近にいる場合には、このような同質性への強いこだわりがその相手へと向けられ、そこに暴力をともなった支配関係が生じやすくなる。自己承認の欲求を含んだ純粋な関係への期待値の高さと、実際の関係の嘘っぽさとのギャップが大きいために、人間関係一般に対する不全感が募っていき、その反動として、支配可能な相手を強制的に束縛することで、自分にとって都合のよい純粋な関係を無理にでも築こうとする。それが、恋人や家族などに対するDV（ドメスティック・バイオレンス）の背景の一つにもなっている。被害者側も、人間関係への精神的な依存度が高いために、たとえ歪んだものであってもその関係から抜け出しにくく、暴力を媒介として互いにもたれあう共依存的な関係がそこに成立してしまう。

また、これも前章で指摘したように、物質的な豊かさから精神的な豊かさへと人びとの関心が移行し、それぞれが自分らしさを内閉的に追求するようになると、互いの価値観や欲求の内実も多様化していく。第一章で指摘した個性化教育への方針転換も、じつはこの大きな歴史的潮流のなかにあった。その結果、日常的な人間関係のなかでも他人と対立したり、その軋轢が表面化したりする可能性がかつてより高まっている。かつてなら、それらが際立つことがなかったような浅い関係においてすら、今日では、新たな衝突が容易に生じやすくなっている。いまの若者たちは、純粋な自分へのこだわりをかつて以上に強めているが、それと同時に、そのままの自分で他人との関係を築いていくことも、かつて以上に難しい状況に置かれている。

さらに、彼らが求めてやまない純粋な関係とは、思想や信条のように社会的な基盤を共有した関係でもなければ、役割関係のような集団の秩序に支えられた関係でもない。いわば直感的な感覚の共有のみに支えられた情緒的で不安定な関係である。そこに成立しているのは、前章で触れたような「いい感じ」を共有する似た者どうしの関係であり、感性の異なる人びとはそこに入り込みにくい。したがって、互いの関係を客観視して相対化するようなまなざしも、また、それを許しうるだけの精神的な余裕も、そこには生まれにくい。

感覚の共有を確認するための対人レーダーをつねに最高の感度で保ちつづけなければならず、いまの関係を維持することで手いっぱいだから、第一章で述べたように、自分にとって重要な人間をその外側に見出すことは難しい。

このように閉塞化した人間関係のなかで、「優しい関係」に孕まれたジレンマを克服するのはきわめて困難である。このとき、擬似的にでも純粋な同質性を保ちやすいケータイは、よくも悪くも、そのジレンマの克服を可能にしてくれるメディアとして用いられることになる。

†ジレンマを克服するケータイ空間

ケータイやパソコンを介してネット上に形成されるバーチャルな人間関係では、実際に向き合ったリアルな人間関係に孕まれる「優しい関係」のジレンマをたやすく克服することができる。ネット上では、互いに高度に配慮して演技をしなければならないリアルな人間関係のキツさを回避しつつ、絶えざる自己承認を相手から獲得することが容易だからである。

とりわけ、身体性を強く感じさせるケータイは、内発的な衝動や直感の共有といった身体性に依拠した親密な関係を維持するうえで、パソコンよりもはるかに都合のよい装置である。そこでのメッセージのやりとりは、人手の介在をほとんど意識させることなく、じかに相手の身体とつながる実感を抱かせてくれる。したがって、生身の人間どうしがあたかも純粋な関係を築いているかのように錯覚されやすい。

しかも、先ほど指摘したように、ケータイ・メールの世界では、メッセージの受け手が情報を意図的にコントロールしやすい。着信拒否の設定や自動削除の機能によって受信するメールを自分で選べるだけでなく、受けとったメッセージをいかに解釈するかについても受け手の自由度が高い。少ない文字の行間に何を読みとるか、その主導権はあくまで受け手の側が握っている。

ケータイ・メールを代表とするネット・コミュニケーションでは、相手の表情や仕草、声色といった言葉以外のさまざまな情報が抜け落ちてしまうので、双方のあいだに誤解が生じやすく、フレーミング（炎上）と呼ばれる衝突が起きやすいとよく指摘される。しかし、このようなネット・コミュニケーションの特徴を裏面からみれば、じつは自分に都合のよいように情報を解釈できる可能性が高いということでもある。

ケータイ・メールの交換は、情報量も少なく、相手の反応も読みとりにくい。そのため、第一章で指摘したような「ぼかし表現」のテクニックをわざわざ駆使しなくても、メッセージの内容に深入りさえしなければ、互いの対立点は簡単にぼかされやすい。若者たちにとっては、純粋な関係がそこに成立しているかのように感じられやすいのである。

したがって、ネット上に形成される親密な関係においては、自己と他者のあいだに合わせ鏡のような関係が築かれやすくなる。相手との違いがじわじわと露呈していくことはめったになく、ズレが溜めこまれて最後にフレーミングという決壊の瞬間を迎えるまで、互いの異質な部分は隠蔽されるか、無視されつづけていく。しかも、自己の分身として相手を映し出すその関係にわずかでも曇りが生じてしまった場合には、リアルな関わりが前提とされていなければ、まずは着信拒否や自動削除の設定を行ない、つぎにメール・アドレスを変え、さらには端末装置を新たに購入することによって、その人間関係を完全にキャンセルしてしまうことも可能である。

ネットに接続できるケータイは、可能性としては無限大の人間関係へと開かれた装置である。しかし現実には、きわめて狭く閉じられた親密な関係において、そこに成立する合わせ鏡のような関係を維持していくために使用されている。だから、そこでやりとりされるメッセージは、たとえ情報量の少ないものだとしても、自分を根底から支えるために非常に重要なものだし、その中身は、あたかも独白のやりとりのような様相を呈してくるのである。

†メールでつながる「本音の関係」

ケータイ・メールで交換される情報は、その量に限っていえば、対面的な会話や音声通話よりも圧倒的に少ない。にもかかわらず、メールのほうが本音に近い会話ができると話す若者は多い。たとえば、ある中学生はこう語る（香山リカ・森健『ネット王子とケータイ姫』から重引)。「学校でその友だちと会ったりもするけど、学校での会話はメールとは別。メールで話すことと学校で話すことはけっこう違う。学校での会話は、お約束というか、本音じゃない。メールは本音。そうじゃないこともあるけど、キホンは本音。だから、(ケータイを）持っていないと落ち着かない。」

実際に向き合ったリアルな人間関係における会話よりも、メールによる会話のほうが本音だと感じるのは、一四六ページで引用した若林の言葉にもあったように、「様々な構えや緊張」がそこでは回避されうるからだろう。社会的な役割などのしがらみを排除した人間関係をそこで営むことができるからだろう。しかし、それ以上に、いくら言葉を尽くしても語りえない感覚的なもののなかに、純粋な自分の根拠を求めようとしているからだともいえる。

リストカットを繰り返す少女たちが、言葉ではなく身体によって自らの生きづらさを表現しようとするように、多くの若者たちにとって、純粋な自分とは、言葉にはできない内発的な衝動や直感のなかにこそ宿るものと感じられている。文字を媒介とした会話でありながら、しかし言葉の重要度が低いケータイ・メールのほうが、より本音に近いと感じられるのはそのためだろう。だから、本文をいっさい欠いた顔文字や絵文字だけのメールも頻繁にやりとりされるし、添付写真だけのメールも多用される。文字よりも絵文字のほうを多く使うというある中学生は、「そのほうが相手の気持ちもよく分かる」と語っている(『毎日新聞』朝刊、二〇〇七年一月五日)。

しかし、内発的な衝動や直感には持続性も安定性もない。そこに根拠を見出そうとする純粋な自分は、その時々の状況に応じて気分も移ろいやすく、一貫性に乏しいものとなりがちである。こうして断片化した自己は、「いま」にしか強いリアリティを感じとることができなくなる。長い時間軸のなかに「いま」を位置づけ、大局的な視点から相対的に見つめ直すことが難しいから、つねに「いま」が濃密な時間で埋まっていないと安心できず、空白の時間を極端に怖れるようになる。

村上龍は、若者に対する綿密なインタビューにもとづいて構想された小説『ラブ&ポップ』のなかで、「わずかな時間さえ自分がもたない」という焦りにも似たこの感覚を、じつに巧みに描き出している(幻冬舎文庫、一九九七年)。「大切だと思ったことが、寝て起きてテレビを見てラジオを聞いて雑誌をめくって誰かと話をしているうちに本当に簡単に消えてしまう。去年の夏、『アンネの日記』のドキュメンタリーをNHKの衛星放送で見て、恐くて、でも感動して、泣いた。次の日の午前中、「バイト」のため『JJ』を見ていたら、心が既にツルンとしているのに自分で気付いた。『アンネの日記』のドキュメンタリーを見終わって、ベッドに入るまでは、いつかオランダに行ってみようとか、だから女の子の生理のことを昔の人はアンネっていうのか、とか、自由に外を歩けるって本当は大変なことなんだ、とかいろいろ考えて心がグシャグシャだった。それが翌日には完全に平穏になって、シャンプーできれいに洗い流したみたいに、心がツルンとして、「あの時は何かおかしかったんだ」と自分の中で「何かが、済んだ」ような感じになってしまっているのが、不思議で、イヤだった。」

いまのこの衝動や直感は、いまここで感じたときに、その場ですぐにメールで送ってしまわないと、すぐにどこかへ消え去ってしまう。いまの感情を後から振り返って、いくら言葉を多く紡ぎ出したとしても、それでは本当の自分の気持ちを、純粋な自分の気持ちを、相手に伝えたことにはならない。だから、あとで実際に会うまで「ふれあい」を待っていたのでは、純粋な関係は築けなくなってしまうと感じられる。「メールは本音」なのは、まさにいまの感覚を、相手の置かれた状況や都合を気にせずに、ただちに送りあうことができるからなのである。

確かに、ケータイ・メールで交わされる情報の多くは、その時々の些細《ささい》な感情を表わしたものにすぎない。そこに話題と呼べるほどの内容があるわけではなく、ただ相手とつながるためのネタとして、いわば話材を交換しあっているだけのようにも見える。しかし、前章で見てきたように、純粋さを内閉的に求める人びとにとっては、その話材となる時々の些細な感情の断片こそが、「本当の自分」の自己表現にとってきわめて重要な要素となっているのである。

†自己承認をケータイする若者たち

一四〇ページで紹介した矢島らの調査によれば、ケータイをつねに見えるところに置いていると答えた高校生は、男女ともに過半数を超える。学校の授業中にメールを利用したことがあると答えた者も、男女ともに七割を超えている。即レスへの強迫観念もさることながら、自己が断片化しているために、その時その場の気分で自分の根拠も揺れ動くからである。だから、一貫した自律性を保つことが困難で、その自分を支えるために、具体的な人間からのサポートを絶えず必要とする。ケータイを介してつねに他人とつながっていないと不安で、一四四ページで引用した中村の表現を借りれば、「フルタイム化した緊密な人間関係」が求められるのはそのためである。

しかし、フルタイムとはいっても、このような要請が自己の断片化に起因している以上、包括的な関わりがそこに求められているわけではない。それはケータイの操作ボタン一つで、いつでも切り替え可能な人間関係でもある。断片化したその時々の気分に応じて、接続する相手もまた瞬時に切り替えられる。そこに成立しているのは、全人格的なつながりというよりも、むしろ断片的で簡便なつながりである。中村の表現を再び借りるなら、ケータイが提供するのは「二四時間営業のコンビニのような人間関係」である（「携帯メール」『コミュニケーション学がわかる。』朝日新聞社、二〇〇四年）。

ケータイは、つながる相手の都合をさほど気にすることなく、自分の置かれた状況にもあまり左右されることなく使うことができ、しかも身体性の強いメディアであるために、たえず揺れ動く不安定な自己のサポートにふさわしいメディアとなっている。つながりたい、承認されたいという欲求を、とりあえずはいつでも満たしてくれる装置として活用されている。したがって、そこに見受けられる断片的で簡便なつながりとは、その言葉から一般にイメージされるような、ドライな人間関係などではない。むしろ、依存性の強い人間関係でもある。

辻大介が指摘するように、現代の若者のコミュニケーションにおいては、「切り替え志向」と「つながり志向」の両面が同居するようになっている（「若者のコミュニケーションの変容と新しいメディア」『子ども・青少年とコミュニケーション』北樹出版、一九九九年）。狭くなった人間関係の内部でも、さらにその時々の状況や気分によって、スイッチをオン・オフするように、つながる相手を瞬時に切り替える。と同時に、いまそこでつながっている相手への依存度もきわめて高い。その時々の気分に応じて選ばれる相手だからといって、人間関係が疎遠になっているわけではなく、一四五ページで引用した中村の言葉にあるように、むしろ「べたべたとした関係」がそこには見受けられる。

現代の若者たちは、ものごとの価値判断の基準を自らの身体的・生理的な「いい感じ」に求める傾向を強めているため、従来の「善いこと」が果たしてきたような羅針盤としての機能を自己の内面に見出しづらくなっている。その結果、自律性を失って不安定になっている。このとき、いつでもどこでも、その時々の状況にフィットした身近な相手を選び、つながりあうことを可能にするケータイは、その時々の気分に応じた指針をそのつど提供し、その状況や気分にふさわしい自己承認を与えてくれる新たな羅針盤として役立つことになる。その意味で、自己ナビゲーションの機能をつねに果たしてくれる非常に便利で重要な装置なのである。

ケータイは、「見られているかもしれない」ことに対して強い不満を抱く年長世代にとってみれば、確かに便利ではあるものの、うっとうしくも感じられる装置だろう。しかし、現代の若者たちのように、「見られていないかもしれない」ことに対して強い不安を抱え込んだ人びとにとっては、純粋な自分どうしがつながりあう純粋な関係を支えるために必要不可欠な装置となっている。

このように見てくると、現代の若者たちが使用するケータイは、いわば社会的なGPS（グローバル・ポジショニング・システム）として機能していると形容することができる。マイカーの現在位置を知るためにカーナビが用いられるように、ごく狭い範囲ながらも人間関係における自らの位置を知るための手段として、そして、その場その場でどうふるまうべきかを見極めるための物差しとして、ケータイが用いられているからである。

GPS機能を搭載したカーナビ装置は、地球を周回する複数の人工衛星から電波を受信し、それらを三角測量することによって自らの位置を割り出す。それと同様に、メール機能を搭載したケータイは、自らの周囲に張り巡らされた複数の他者からのメッセージを受信し、それらを〝三角測量〟することによって、仲間内での自分の位置を割り出すことを可能にしてくれる。自己の存在基盤の脆弱さに脅かされている人びとにとって、これほど魅力的で便利な装置は、現在のところ他に見出すことはできないだろう。

†プロフという自己紹介サイト

近年は、ケータイでも簡単に作成したり閲覧したりできる自己紹介サイトの利用者が、一〇代の若者を中心に急増している。「前略プロフィール」がその代表格だが、一般にプロフと呼ばれるこれらのサイトには、訪問者がコメントを書き込むこともできるため、自分のページにどれだけの人がアクセスして、どんなメッセージを残してくれたかが一目瞭然である。そのため、人間関係における自分の位置を割り出す手段として、メールよりもはるかに効率のよいツールとなっている。

中学生を対象にネットスター社が二〇〇七年に行なった調査でも、プロフ利用者のほとんどが、自分のページを見ているのは「友だち」か「自分と同年代の人」だけと考えており、それ以外の第三者に見られているという意識はきわめて低い。また、その時々の状況や気分によってつながる相手を切り替えるケータイ・メールのように、一人が同時に複数のプロフを開設し、書き込みにくる相手に応じてそれらを使い分ける者もいる。プロフは、ネット上に開かれた自己紹介用のサイトでありながら、実際には人間関係を広げていく手段というよりも、むしろ自分を見つめてもらうことで、自己を確認するためのツールとして機能している。だから、コメントを書き込むことを「絡む」と表現するように、ここにも「べたべたとした関係」が見受けられることになる。

ところで、このような事情は、パソコンを使って構築されるバーチャル空間においても、じつは似たり寄ったりである。右のプロフの例からも推測されるように、本来は無限大の世界に開かれたメディアであるはずのインターネットが、実際には異質な人びとへと開かれた空間になっておらず、むしろ同質性の高い人びとが、時間と空間の制約を超えて集いやすい場となっている。

たとえば、ある共通の関心をもってウェブ掲示板に集う人びとのあいだでは、自分たちの感覚とは異質な書き込みに対して、過剰と思えるほどの攻撃がいっせいに仕掛けられやすい。彼らは、それを「祭り」と呼ぶ。異質な人びとをたんに排除するだけではなく、その盛り上がった気分の連鎖によって人びとの感情が沸騰し、それを契機にしてまた同質的な人びとの類似性が再確認され、さらに一体感が高められていく。その意味で、まさしく「祭り」なのである。

これから次章で検討する「ネット集団自殺」という現象も、このようなただ一点における同質性の相乗効果によって、死への衝動が過度に強められた結果とみなすことができる。その意味において、いわば純粋な関係性を極限まで突きつめてしまった彼岸の世界を、私たちはそこに見出すことになるだろう。

第五章 ネット自殺のねじれたリアリティ

†ネット集団自殺がみせる不可解さ

厚生労働省の発表によれば、ネット集団自殺による死者数は、二〇〇三年が三四人、〇四年が五五人、〇五年が九一人、〇六年が五六人となっている。死者数のもっとも多かった〇五年の自殺者総計は三万二五五二人だから、ネット集団自殺を多いとみるか少ないとみるかは、論者によって判断の分かれるところだろう。確かに自殺研究の見地からすればかなり特殊な事例にすぎず、そこから時代の精神を汲みとるようなことはできないかもしれない。しかし、数の多少はともかく、その特異な形態は、現代の若者に特有の生きづらさを象徴しているようにも思われる。

とりあえずここでは、社会経済学者の佐伯啓思による次の言葉を引用しておきたい（「高自殺の時代」『読売新聞』夕刊、一九九九年八月五日）。「自殺のような決意した死には、いわば「形」と「意味」がやはり必要だと思う。だが、この「形」と「意味」がほとんど失われてしまっている〔中略〕自殺率の増加そのものというよりも、その「形」のなさこそが今日の病理を示しているように見える」。ちなみに、二〇代から三〇代の死因の第一位は、二〇〇二年以来ずっと連続して自殺である。また、ピークが過ぎた観はあるものの、ネット集団自殺による死者は依然として若い世代に多く、〇六年の統計でも二〇代が最多となっている。

ネット集団自殺における「形」のなさについては、その特徴を二つの側面から考えることができるだろう。第一の特徴は、とりたてて生活の困難を抱えているわけでもないのに自殺するのはなぜかという、動機をめぐる不可解さである。たとえば、ある自殺未遂者は、「思えば、本当に死にたかったわけじゃない。ただ、生きることを休みたかった。死んでも死ななくても、どっちでもよかった」と語っている（「死に至る訳」『AERA』二〇〇三年八月一八―二五日号）。ここには、死を決意するという強い意思が不在である。

ネット集団自殺における「形」のなさをめぐる第二の特徴は、ネットで募った赤の他人と一緒に自殺しようとするのはなぜかという、過程をめぐる不可解さである。ネット上で仲間を募り、それまで面識のなかった他人との共同作業によって、自死の決行にまで導かれてしまう。この点について生物学者の池田清彦は、「集団自殺が特異なのは、自殺というこれ以上はないというネガティブな個人的決断に、つい先日まで見ず知らずの赤の他人が相乗りして、さしたる悲愴感もなくゲームでもやるかのように、あっけなく死んでしまうことにある。〔中略〕心中というのは、個人的事情を同じくする人々（夫婦とか家族とか）が、精神的に追いつめられてするものだ、というのが私を含めた世間の常識ではあるまいか」と述べている（「身内と赤の他人、逆転の果てに」『朝日新聞』夕刊、二〇〇三年四月二一日)。

ネット集団自殺は、形式的には心中のように見えるが、しかしその実態は異なっている。そこには互いの感情の交流がほとんど見受けられず、その出会いも、たまたまメッセージが目に留まったからという、きわめて偶然性の高いものである。そのメッセージも「自殺仲間の募集」という形式的なものであり、自殺を志願するに至った理由や各自が抱えている諸事情についての書き込みではない。自殺仲間となったあとも、互いのやりとりはその決行手段をめぐるものばかりで、感情的な交流はほとんど成立していない。

こうしてみると、ネットで募った赤の他人と一緒に自殺を企てるという過程の不可解さは、ネット上に成立する人間関係の特殊性を仲立ちにして、死への強い動機の不在という特徴とも密接に関わっているのではないかと推察される。動機の不可解さと過程の不可解さとは、じつは同根の現象なのではないだろうか。本章では、「優しい関係」にからめとられた現代の若者の生きづらさの一つの帰結という観点から、この両者の関係について考えてみたい。

†現実世界のリアリティの希薄さ

「今の時代、生きること自体そんなに難しくない。どんなバイトをしても生きていける。

でも生きてるだけじゃ、別に生きなくても同じじゃないかと。死にたいというより、生きたくない気持ちでした」。ネット集団自殺のある未遂者はこう語る（「追跡ネット自殺1」『毎日新聞』朝刊、二〇〇三年八月二七日）。いま現在、つくづく生きづらくて仕方なく、もう死んでしまいたい、そして何とか苦しみから逃れたい、それほど切羽つまった様子を、ここからうかがい知ることはできない。この瞬間にどうしても死ななくてはならないというほどの切迫感は見受けられない。

評論家の芹沢俊介は、「おそらく若い自殺志願者たちの共通にかかえる苦悩があるとすれば、この世に生まれたことに意味を見いだせないことではないか」と述べている（「ネット心中を考える」『読売新聞』夕刊、二〇〇三年七月一日）。彼らの死への衝動には、確かに強い動機づけを見出すことができない。それは、かつて虚無的な青年たちのあいだで流行したというロシアン・ルーレットのようなふるまいとして立ち現われている。しかし、ある事件で未遂に終わった二〇歳の若者が、「漠然と、でも本気で死にたいと思い続けてきた」と語るように（「ネットの死・上」『朝日新聞』朝刊、二〇〇三年五月一四日）、そこに強い動機は見当たらないけれども、切実な死への想いを見出すことはできる。

ここで思い起こされるのは、自殺の理由を「唯ぼんやりした不安」と述べた芥川龍之介の言葉である。彼は「或旧友へ送る手記」のなかで、「君は新聞の三面記事などに生活苦しとか、病苦とか、或は又精神的苦痛とか、いろいろの自殺の動機を発見するであらう。しかし僕の経験によれば、それは動機の全部ではない。のみならず大抵は動機に至る道程を示しているだけである」と語っていた（『東京日日新聞』朝刊、一九二七年七月二五日）。

また大澤真幸は、生活に不自由のない若者がオウム真理教へ入信した背景を考察して、「生の名状し難い空虚」があると推察し、「生のどこにもめりはりのきいた不幸や苦難がないということ、つまり（理想状態に対する）「欠如」がどこにもないということ、このことが、オウムへと参加する選択を規定している」と指摘している（『虚構の時代の果て』ちくま新書、一九九六年）。このようなメンタリティには、彼自身も示唆するように、現代の自殺志願者と通底する部分がある。

しかし、かつて社会学者のE・デュルケームが喝破したように、自殺の背後に潜むこのような社会的原因が、個別具体的な自殺の動機として語られることはむしろ稀である（宮島喬訳『自殺論』中公文庫、一九八五年）。この点については、大澤も、「問題なのは、生の内部に散りばめられた個々の事情ではなく、生を全体として枠づける時間的な特性なのだ。しかし、このような特性は、生そのものの前提なので、誰にとっても、対自化することは非常に難しい。それゆえ、しばしば、信者は、入信動機を説明せざるをえないとき、最後の決心のきっかけになったに過ぎない瑣末な事情を、「理由（口実）」として申し立てることになる」と指摘している（前掲書）。

二〇〇三年に埼玉県で男女七人が集団自殺した事件で、ネット上で仲間を募る中心的な役回りを果たした若者は、「七〜八人で死ねたら、新しいよね」という言葉を残している。それと同様に、ネット集団自殺の志願者たちには、「新聞に載りたい」「どうせ死ぬのなら、大げさに取り上げてもらいたい」といった自己顕示欲をみせる人が多い。ところがその一方で、「消えるように死にたい」「最初から存在しなかったことにしたい」といった自己消去願望を述べる人もまた多い。

しかし、自殺衝動の背後に「生の名状し難い空虚」があるとすれば、相反しているように見えるこれらの言葉にも、じつは共通するメンタリティが潜んでいることに気づく。「消えてしまいたい」という言葉は、おそらく現実の生に対するリアリティの薄さの反映なのだろう。ろうそくの炎のように、ふっと息を吹き掛ければ消えてしまう、そんな虚《うつ》ろな生の感触しかないから、それを消すのにも大きなエネルギーを必要としないのではないだろうか。

他方で、自殺の事実をマスメディアで大々的に取り上げられることを期待する語りには、一見すると正反対のメンタリティが潜んでいるようにも思われる。しかし、現実の生の希薄なリアリティに対する反動としてその願望を捉えるなら、じつは自己消去願望と通底している側面が見えてくる。表面上の言葉は相反しているように見えても、自死に対する強い決意が両者の語りに等しく感じられないのは、現実の生に対するリアリティが希薄なために、死へと踏み出す決意すら希薄になっているという共通の背景があるからだろう。

†相対化の時代の絶対的な拠り所

近年、格差の急激な拡大によって、若者の置かれた環境を一律に論じることは困難になりつつある。しかし、たとえば第三章で触れたように、貧困にあえぐ親から捨てられたN・Nが生きた時代と比べれば、今日の日本では、生活に必要なものはとりあえず容易に手に入る状況にある。豊かな社会が到来し、生活上の困難は大幅に減少してきた。逆に、何でもそろっているがゆえに、生活上どうしても欲しいものはなくなってしまったともいえる。

私たちは、なんらかの対象を求める気持ちが強ければ強いほど、その対象の価値を絶対的なものとみなしやすい。恋愛にしても、自分のほうをなかなか向いてくれない憧れの人ほど、なおさら輝いてみえるものである。手に入れることの困難さは、その価値を増大させる。しかし、少なくとも現在のところ、欲望を満たそうとしたときに障害となるものは、日常生活の上ではかつてほど存在しなくなっている。そのため、欲望が向けられるさまざまな対象の価値は大幅に低下し、かつてのような輝きを失っている。また、以前よりも欲望が実現されるまでのコストがかからなくなったのに加え、欲望が向けられる対象の選択肢もその幅が広がっている。

望むものは何でも容易に手に入れられるようになったことで、さらにまた選択肢の幅も拡大してきたことで、それぞれの価値は互いに互いを低めあうようになっている。たとえ選択肢のあいだに序列がついていないとしても、いや、むしろ序列がついていないがゆえに、あらゆる価値は等しく低下する。ひとは、魅力的な選択肢がほかにも多く残されているとなれば、特定の選択肢だけに固執することはなくなるからである。ほかの選択肢の可能性もつねに残されているという事実が、自ら選んだものの魅力を相対化し、その価値を低めてしまうのである。かつてと比べて男女が出会って恋愛する機会は増えているのに、いや、だからこそ、なかなか結婚へと踏み出せない人びとが増えているのと同じである。

可能性をいまから切り開いていくのではなく、すでに開かれていると感じられることによって、現実世界のリアリティは大幅に奪われてきた。たとえどんな選択肢を選んだとしても、それに代わる選択肢の存在がつねに意識され、「いま選んだものは本物ではないかもしれない」という意識がそこに付きまとう。豊かな社会は、人びとが享受しうる価値の総量の増大を必ずしも意味しない。選択肢の増加は、価値の細分化と相対化をもたらし、欲望を実現させることの魅力を削いできたのである。

このように、どんな目標に対しても圧倒的なリアリティを感じにくくなっているのは、選んだ目標の中身に固有の魅力がないからではなく、あり余る選択肢の存在が個々の目標の魅力を減退させるからである。したがって、目標の中身に手を加えて改良したり、より魅力的な選択肢を新たに設定したりすることで解決される問題ではない。なんらかの目標を選ぶという行為それ自体が、残された別の選択肢の潜在的な可能性とその魅力を浮き上がらせてしまう。このとき、絶対的なリアリティを獲得する唯一の方法は、目標を選ぶという行為それ自体を全否定してしまうことだろう。

大澤は、どんな目標を選んでもすぐに相対化されてしまう現代社会において、絶対的な拠り所を回復する唯一の方法は、あらゆる目標を全否定してしまうことだという(『虚構の時代の果て』)。「世界の全的な否定を理想として設定した場合にのみ、その否定の営みの反作用として、消耗されることのない〈超越性〉が、かろうじて回帰してくる。積極的=建設的な理想は、より一般的な理想の中で相対化されるのを避けることができない」からである。

現実のリアリティの欠如に対して、どのような内容の理想も積極的な解決策とはなりえないとき、それらの理想が排除し、否定せざるをえないことのみを内容とするような理想を設定することだけが、その意味の空洞化に対抗しうる唯一の手段となる。大澤によれば、オウム真理教が最終戦争で目指したのもこの目論見《もくろみ》の実現であり、それは現実世界の全的な否定、現実世界そのものの殺害を意味していた。

†死のイメージをまとうゴスロリ少女

近年の若者のファッションには、生のリアリティを強める手段として、死のイメージを逆説的に用いたものがある。少女たちがゴシック・ロリータ（ゴスロリ）と呼ぶ人気のファッションもそうである（図5）。それは、イノセンス（純粋無垢）のイメージを喚起させるロリータでありつつも、彼女たち自身の表現を借りるなら、「退廃的な黒」を基調としたファッションである。

図5

© shizuyoshi fukuda 『ゴシック・ロリータ&パンク ブランド BOOK』（辰巳出版）協力【Na＋H】

彼女たちは、肌全体を白く、目の周りを黒く塗り、まるで死人のような風貌を好む。また、十字架や骸骨や血を装飾として用いることで、死のイメージを積極的に演出する。女性のファッションには異性からのまなざしを意識したものが多いが、ゴスロリのファッションは人目を引くためのものではなく、自らのまなざしの内部へ向けられたものである。その意味で脱社会的だといえる。他人へ向けて自らの「性」をアピールするのではなく、自分へ向けて自らの「生」を確認しようとしているからである。

ゴスロリ少女には、暗い内容の歌詞を特徴とするビジュアル系バンドの熱狂的なファンも多い。たとえば、ムックというバンドは「遺書」という曲で、「もし僕が眠っても　教室の机に花は　置かないでください　悲しさの演出はいらないから　この世界が　僕らを創り出して　この世界に　僕らは殺された」と歌う。ファンの少女たちは、このような歌詞に陶酔し、自らの代弁者という感覚を得ている。

あるゴスロリ少女は、「わたし、三〇歳になったら、自殺するって決めてるんです。あっ、別に言ってるだけなんで、変に心配とかしないでくださいね」と明るく語る（加藤亜由子『ゴスロリ少女の生きる道』筑波大学社会学類卒業論文、二〇〇六年から重引）。彼女にとっては、「死の予定」もまた自らのファッションを構成する要素の一部なのだろう。それは、いわば虚構化された「死」でありながら、絶対性や純粋性を感じさせてくれるものである。彼女たちが死のイメージに惹かれるのは、おそらくそこに自らの生のリアリティを増幅させる作用を逆説的に見出しているからだろう。

一般に死は、私たちの意思ではどうにもならない事柄であり、誰にとっても避けられないものであるため、もともと純粋性や絶対性といった色彩を帯びやすい。しかし、今日においては、その色彩が過度に強調されるようになっており、しかもそれが人びとを惹きつける憧れの対象とすらなっている。ゴスロリ・ファッションのような虚構としての死に限らず、ネット集団自殺というリアルな死もまたその渦中にあると思われる。自殺の決行へと向けた具体的な準備作業は、ファッションとは桁違いの強度で生のリアリティを強めてくれるにちがいないからである。それは、間近に迫ったものとして死を感じさせる行為であり、その最後の瞬間へと向けた高揚感のなかで、自らの生の輝きも倍増していくかのように感じられているのではないだろうか。

とりわけ、他人との共同による死への準備作業は、その限られた最後の時間に揺るぎない確かさと密度を与えてくれることだろう。もはや自分だけの意思では引き返しようのない歴然たる事実となって、不治の病のごとく外部から自分に迫ってくるものであるかのように、死を捉えることができるからである。自殺の計画が途中で頓挫したある若者は、「メールのやりとりで死を考えることは、絶望から抜け出して生きることを考えることにもなっています。だから「死にたい」って思ってもいいというふうに自分のなかではしていきたい」と語っている（渋井哲也『ネット心中』日本放送出版協会、二〇〇四年から重引）。

このように、死が間近に迫ったものであればあるほど、皮肉なことに生のリアリティもまたその重さを増していく。だから、その決行の瞬間を永遠に先延ばしにすることはできない。「いつか実行しよう」では、死の魅力は半減してしまう。たとえば『完全自殺マニュアル』を読み、自殺の方法を具体的に検討することで、多少は生の輝きを取り戻すことができるかもしれない。しかし、その効力はけっして長続きしない。最後の瞬間の訪れが遠ければ遠いほど、準備期間に与えられた特別な輝きも薄れてしまうからである。死の瞬間はできるだけ近い未来に、しかも期日の確定された未来に設定されていなければならないのである。

†現実回帰のためのトラウマ物語

リアリティの希薄な若者たちの日常を巧みに描いた岡崎京子のコミック『リバーズ・エッジ』には、「もしかしてもうあたしは　すでに死んでて　でもそれを知らずに　生きてんのかなぁと思った」という主人公の印象的な独白が出てくる（宝島社、一九九四年）。たまたま河原で発見した屍体《したい》を宝物のように扱って過度の執着を示すのも、生の実感が希薄な日常を突き破る強烈なリアリティをそこに嗅《か》ぎとるからだろう。死を媒介とした純粋性や絶対性に対する人びとの憧れが強まっているのは、それだけ日常生活に対して虚偽性と相対性を感じる度合が高まっていることの裏返しである。

それと同様に、生のリアリティを希求する手段としてネット集団自殺を捉えなおすなら、それは現実「回避」の試みというよりも、むしろ現実「回帰」の試みといえることに気づく。再び大澤真幸の表現を借りるなら、それは現実からの逃避ではなくて、逆に現実への逃避である（「不可能性の時代」『世界』一月号、二〇〇五年）。「「現実」へと、通常の現実以上に現実的なものへと、現実の中の現実へと、極度に暴力的な現実へと逃避している、と解したくなるような現象」の一部として、ネット集団自殺も企てられている。

どんな目標を選んでも相対化され、そこにいくらコミットしても偽りの感覚に苛《さいな》まれてしまう現実のリアリティ不足に慢性的に晒《さら》されているとき、そうした日常性の膜を突き破って、「現実の中の現実」に少しでも近づこうとすれば、その行為は、この現実を全否定するような極度に暴力的な形にならざるをえない。たとえば、自分自身では制御が不可能であり、しかも自らの存在のあり方を全規定してしまうような強圧的な現実として語られるトラウマ体験が、きわめて暴力的な様相を伴っているのもおそらくそのためだろう。

トラウマは、それをもたらした体験を全否定してしまいたくなるような、きわめてネガティブな現実にちがいない。健全であることが望ましいことだとすれば、トラウマの持ち主と診断されることは、回復の困難な病人という烙印を押されたに等しい。しかし、だからこそ、それは絶対的な拠り所としての役割を果たし、自らのアイデンティティを全面的に規定するものとして作用しうることになる。トラウマのグループセラピーへのある参加者は、「自分の存在意義を確かめたい。その手がかりが欲しいんです」と語っている（高橋秀実『トラウマの国』新潮社、二〇〇五年）。

ここに、究極のネガティブな現実であるはずのトラウマを、きわめてポジティブに希求するという、一見すると奇妙だが、しかし現代的なメンタリティが生じることになる。近年、自らのトラウマ体験をむしろ積極的に語ることで、それを自らのアイデンティティの核にしようとする若者が目立つようになっている。このような人びとにとっては、自らの人生にトラウマ体験のないことのほうが、むしろ自らの生きづらさを増幅させる要因となっている。第三章で触れたように、衝撃的なトラウマ体験を題材にしたセルフ・ノンフィクションが大流行している背景もここにあるだろう。トラウマ語りが魅力的なのは、いわばねじれた憧れがそこに存在するからである。先のグループセラピーに参加していた別の人物は、「治ったらどうしようかと今、真剣に悩んでいます」と深刻な表情で語ったという（『トラウマの国』）。

したがって、このような現象は、トラウマを与えたと解釈される衝撃的な出来事の真偽とは区別して検討されなければならない。仮に、現在の生きづらさが衝撃的な過去の出来事のトラウマによるものだと専門家に診断されたとしよう。そして、その診断のおかげで自らの生きづらさの原因が分かり、その苦しみから幾らかでも解放されたとしよう。楽になれたのは、はたして専門家の診断が正確に真理を突いていたからだろうか。確かにそうなのかもしれない。しかし、ここで重要なポイントは、トラウマをもたらした出来事が真実だったかどうか、あるいはトラウマという心の状態が真理であるかどうかではなく、むしろトラウマという心の状態についての説明が、現在の自らの生きづらさを語る根拠として納得され、積極的に受容されえたという点にある。

専門家によるトラウマの診断は、心の状態の真理を客観的に表わすものというよりも、むしろその説明としての妥当性を有するものというべきである。近年、トラウマのような心の傷が人びとにもてはやされるのは、自らの生きづらさを語る言葉として、精神医学的、あるいは心理学的な説明に強い親近感を示すようになっているからだろう。第三章で触れたN・Nは、自らの犯行の背景に「資本主義体制の構造的矛盾」があると訴え、当時の人びとから少なからぬ共感を得た。しかし、たとえ自己弁護の論理としてであっても、このような語り口が今日の日本で受け入れられることはまずないだろう。小泉純一郎元首相も、靖国神社への参拝を「心の問題」として語ったこのご時世である。日々の生きづらさを説明する原理として、社会体制の矛盾や資本主義の弊害などといった用語よりも、自らの心の内を描写する用語のほうが、現代人のメンタリティにはフィットしやすくなっている。平たくいえば、そうした用語のほうが「分かった」という気になれるのである。

トラウマとは、いまの自分がけっしてニセモノではなく、正真正銘のホンモノであることを示してくれる品質保証ラベルのようなものである。したがって、なにがしかのトラウマ体験を過去に想定できる人びとは、そのことで生のリアリティを幾分かでも獲得することができる。自分ではいかんともしがたい生きづらさの根源をそこに求めることで、現在の生の意味を少しでも確認することができる。しかし、それさえも想定できないほどリアリティの希薄な世界をただ平凡に生きざるをえない人びとは、過去に起こった「極度に暴力的な現実」へと逃避する代わりに、やむなく近未来に「極度に暴力的な現実」を求めていかざるをえなくなるだろう。

†人間関係の多元化とリアリティの喪失

先ほど述べたように、現実世界のリアリティが希薄化しているのは、あらゆる目標が相対化されてしまい、それらがもっていた魅力が低下してきたからである。そのために、生の放つ輝きが鈍ってきたからである。では、そのリアリティの希薄さを克服する試みの一つとして自殺が企てられているとしたら、ネット上で仲間を募るという方法がそこで採用されるのはなぜだろうか。

　今日、人びとがリアリティの欠如に直面するのは、日常生活のなかでは人間関係をめぐる局面においてであることが多い。価値の相対性がとりわけ切実な問題として迫ってくるのは、それが人間関係の葛藤となって立ち現われる場合である。ある集団のなかで価値あるものと認められても、その評価はその集団内だけで通じるものでしかなく、別の集団に移ったとたんに否定されるか意味のないものとされてしまう。それぞれの集団が独自の価値基準をもつようになっており、それらを横断して万人に受け入れられるような普遍的な価値基準が成立しにくくなっているからである。ある若者の言葉を借りれば、相手しだいで「善悪の基準も紙一重」なのである。

　しかも、現代社会においては、一個人が多数の集団に同時に所属し、その時々に属する集団によってふるまい方を変える傾向にあるから、複数の関係が入り交じって錯綜しやすくなっている。このような人間関係の多元化は、当然ながら価値の相対化をさらに推し進めることになる。その傾向は若年層にも見受けられ、社会学者の浅野智彦らの調査によれば、この一〇年間で若者たちの人間関係は急速に多元化してきた（『検証・若者の変貌』勁草書房、二〇〇六年）。また、前章で指摘したように、そのような状況への適応として、その時々の相手に合わせて自己像を巧みに切り替えていくようなメンタリティも広まってきた。

　このような現代社会を生き抜くために、現代人のアイデンティティは多元化してきた。しかしそれは、個々の場面で呈示される自己像が互いに相対化されていくということでもある。人間関係が錯綜し、そこに葛藤がある場合には、相手に応じて切り替えられるおのおのの自己が、互いに矛盾を孕んでしまうことも多い。あの集団にいたときの自分とこの集団にいるときの自分は、それぞれ違った自分と感じられ、そこに一貫性を見出しにくくなる。ある人物の前で演じられるキャラと別の人物の前で演じられるキャラが、まったく正反対の性格のものである場合も少なくない。こうして、自己の統一的なイメージはだんだんと揺らいでいく。今日の生のリアリティの希薄化は、具体的にはこのような様相をともなって進行してきた。

　かつて、劇作家であり評論家でもある山崎正和は、特定の集団に埋没した人間関係と、そこでの基準に拘束された「剛直な個人」に代わって、複数の集団を自在に渡り歩き、多様な人間関係を同時に享受しうる「柔らかい個人」が誕生しつつあると説いた（『柔らかい個人主義の誕生』中公文庫、一九八七年）。そして、そのような「社交する人間」を、来るべき社会の主人公として楽観的に描いた。しかし現実には、複雑に絡み合い、反発しあう多元的な人間関係をじゅうぶんに謳歌《おうか》できるほど、私たちのメンタリティは現代社会に適応しきれてこなかったようである。

その背景には、近年になって急速に浸透してきたグローバリズムの影響を読みとることもできるだろう。グローバル化する世界経済の影響から、わが国でも多くの局面で経済原則が優先されるようになっている。高校生新聞が二〇〇六年に行なった調査では、「お金があればたいていの望みはかなう」と回答した高校生が、全体の四四パーセントに達している。市場経済にかぎらず、文化的な局面においても、経済原則が圧倒的な影響力をもちはじめている。

書店にならぶビジネス関連の雑誌をざっと眺めてみても、上司や部下といかにうまく付き合うか、会議や交渉をいかに円滑に進めるか、といった対人関係のテクニックをめぐる特集が昨今は目白押しである。生産技術をいかに高めるか、品質管理をいかに徹底するかといったメーカー本来のトピックもまた、人間関係の問題へと置き換えられて論じられる傾向にある。教育社会学者の本田由紀が説くように、自分や相手の感情を場面に合わせて適切に処理し、個々の状況にふさわしい対人関係をスムーズに築く能力が、経済活動を発展させていくための基本的なスキルとして重視されはじめている（『多元化する「能力」と日本社会』NTT出版、二〇〇五年）。

このような趨勢の下で、市場経済に適合したコミュニケーション能力の有無を唯一の尺度とするような、いわば矮小化《わいしょう》された人間像が急速に広まっている。一つのことに拘泥せず、場面に応じて自分を巧みに切り替えたり、場面自体を積極的に転がしていけるような能力を「人間力」の基礎とみなす風潮が強まっている。

†市場化するコミュニケーション能力

教育現場における近年の大きなテーマの一つは、「コミュニケーション力」や「人間力」の涵養《かんよう》だろう。しかも、生徒たちの将来の職業生活を保障するという観点から、言い換えれば経済活動の競争力を高めるという観点から、ビジネスの現場で強く求められるそれらの能力をいかに高めていくかという文脈で論じられることが多くなっている。「経済的であること」と「人間的であること」が対立概念として使われていたかつての教育文化からは大きな様変わりである。

このように今日の日本では、教育の世界においても経済原則が優位となり、若者たちのコミュニケーション能力もその尺度で一元的に測られる傾向が強くなっている。腹を割って話しあい、互いの人間性を高めていけるような対人関係を築く能力ではなく、いろいろな交渉事をスムーズに進め、場の空気を敏感に読みとって迅速に対処できるような対人関係の能力が、さまざまな局面で問われるようになっている。そして、人間としての評価も、このような対人能力の有無によって大きく左右されるようになっている。

かつてなら、ビジネスライクな人間関係が苦手だったり、あるいはそれを嫌悪する人びとにも、社会的にじゅうぶん評価されうる居場所があった。たとえば、向田邦子脚本・久世光彦演出の名コンビで、一九七〇年代半ばに大ヒットしたTVドラマ「寺内貫太郎一家」の主人公は、いまの基準でいうなら、人とのコミュニケーションのまったく不得意な人物だった。東京下町で三代続く石屋の職人で、職人のイメージをそのまま絵に描いたような朴訥《ぼくとつ》で頑固な人物として描かれていた。石屋という職業の設定も、おそらく堅物な彼の性格を暗に示すものだったのだろう。そのため、周囲の人びとと何度も衝突を繰り返し、それが視聴者の笑いと涙を誘った。

しかし、貫太郎の一途《いちず》な仕事ぶりには彼の誠実な人柄が反映されており、手がけた墓石には彼の真心が込められていた。貫太郎が人気の高いキャラだったことからも分かるように、人間的な魅力と対人能力とは、かつてはそれぞれ別個の評価軸をもっていた。たとえ人前では口下手であっても、あるいは臨機応変にはふるまえなくても、丹精を凝らした作品をとおして人びとに感動を与えることで、尊敬に値する立派な人物とみなされたし、それはそれで社会的に評価されるコミュニケーションのとり方の一つでもあった。

ところが、今日の日本は、こつこつと鍛練を重ねていくような職人気質にも一目置かれたかつての時代とは異なっている。昨今では、このようなコミュニケーションをとっていたのでは対人能力が低いとみなされ、じゅうぶんな人物評価を得にくい。とりわけ若者のあいだでは、そのような傾向が強くなっている。場の空気を敏感に読みとり、臨機応変にふるまって人間関係をスムーズに流していけるような能力が強く求められる。それが苦手な人間は、人格的にも否定的な評価を受けやすく、学校のクラス内でも、いわゆるスクール・カーストの底辺に位置づけられてしまう。博報堂生活総合研究所の原田曜平が二〇〇二年から五年間にわたり、一〇代の若者を対象に行なってきたヒアリング調査では、好感のもてる同性のタイプを男子に聞いたところ、第一位は「他人に配慮ができる人」であるのに対し、嫌いなタイプの第一位は「場の空気が読めない人」である（「仲間同士も「配慮」の時代」『朝日新聞』朝刊、二〇〇七年八月一六日）。

当然ながら、このような人物像やコミュニケーションのとり方は、第三章や第四章で述べたような、現代の若者たちが内心で強く求めている純粋な自分や、その憧れから生まれる純粋な関係への期待値の高さとは相容《あいい》れないものである。両者のギャップの大きさは、現実の人間関係にどうしても偽りの感覚をもたらしてしまう。どこか嘘っぽく、本物ではないという感覚を生じさせてしまう。社会から期待され、そして周囲からも求められるキャラを演じようとすればするほど、現実のリアリティは希薄化していかざるをえないのでである。

†リアリティの確保をめざした内閉化

しかし、だからといって、いきなりここで「現実世界の全的な否定」によるリアリティの復活が夢想されるわけではない。その前に、リアリティを希薄化させてきた直接の契機である人間関係をなんとかしようとするはずである。それが、これまで本書で触れてきたような、狭い範囲での人間関係の固定化である。周囲から孤立した小さな仲間集団を形成して、その内部で閉じられた人間関係を営み、外部の人間との接触を遮断するような生き方である。

いわば孤島化した人間関係を生きる若者たちは、人間関係の多元化にともなう価値の相対化とその魅力の低下に対処するために、また、昨今の新自由主義的な経済活動に適合したコミュニケーションへの社会的圧力に抵抗するために、その社会との接触を放棄しようとしている。閉じられた関係へと感覚の窓を閉じてしまうことで、自らの視線の絶対性と安定性を確保しようとしている。あらゆるものの価値が相対化され、また、経済原則の圧倒的な優位によってその相対化がさらに推し進められてきたこの社会で、それでもなお生のリアリティをなんとか保ちつづけるために、社会へとつながる回路をあえて積極的に遮断しようとしているのである。

昨今のマスメディアでは、いまどきの若者たちは社会性に欠け、視野が非常に狭いと批判されることが多い。しかし、このように見てくると、彼らはたんに社会性を失っているわけではないことが分かる。社会へとつながったとたんに、自分たちからは絶対的に見えていた価値観も、別の視点からたちまち相対化され、無効化されてしまう。それは、身近な日常世界のなかに、リアリティを損なう要素が呼び込まれることを意味する。日々の生活のなかで現実らしい現実のリアリティを実感したいと願っているとき、それが危険にさらされるのはきわめて都合の悪い事態だろう。

第三章で触れたケータイ小説の作者たちは、ネットで用いるハンドルネームをペンネームとしても使っており、そのことごとくがニックネームだけで苗字《みょうじ》を欠いている。このような特徴は、おそらく社会に向かって作品を公表したいという意識が少ないことの表われだろう。彼らは、自らの作品の意義を社会に問い、批判や論争を投げかけるのではなく、むしろケータイ・メールを発信するのと同じような感覚で、自分と感性を共有する人びとにだけ読んでもらいたいと思い、自らの作品を発表している。じっさい、これらの小説が大ヒットに結びついたほとんどのケースで、そのきっかけとなったのはケータイ・メールを介した個人的な口コミの連鎖であり、商業ベースの宣伝広告ではない。

このように現代の若者たちが、グローバル化する世界のなかで、皮肉にも内閉的なメンタリティを示す傾向を強めているのは、社会という大海を知らない井の中の蛙《かわず》だからではない。逆に、グローバル化の荒波を被ることによって、社会という大海の不確実性を身に染みて感じている人びとだからである。彼らは、自らの世界の絶対的なリアリティを確保するために、社会的な視点をあえて排除しようと企てているのである。

†現実らしさを阻害する「優しい関係」

ところが、こうして確保された小世界の内部が、生のリアリティにあふれるものとなっているかといえば、けっしてそんなことはない。当然のことながら、相互の交流を欠いた小集団の孤立化が進めば進むほど、その内部では、互いの対立点を表面化させないように配慮しあう「優しい関係」がさらに進んでいくからである。そして、第一章でも検討したように、内部の人間関係に対するその過剰な配慮は、外部の人間関係に積極的にコミットする意欲を失わせ、集団の孤島化をさらに推し進める。集団の孤島化がコミュニケーションへの没入をもたらし、それが集団の孤島化をさらに進め、それがまたコミュニケーションへの没入を深めていく。

すでに見てきたとおり、「優しい関係」の下では、対人アンテナを互いに張り巡らせ、あたかもガラス細工を扱うような繊細さで相手の反応を察知しながら、自分の出方を決めていかなければならない。そうすることで、相手との微妙な距離感を保とうとする。ここで少しでも読み違いをしてしまうと、「優しい関係」は簡単に破綻の危機にさらされる。しかし、人間関係をスムーズにしようとその繊細な舵取りに没頭するあまり、コミュニケートされているはずの肝腎《かんじん》の中身はどこかへ忘れ去られてしまいかねない。コミュニケーションに没入することでコミュニケーションに値する関係であることを互いに確認しようとし、コミュニケートされる内容よりもその円滑な回路を維持することのほうが重要な関心事になってしまう。「私たちは、これだけ会話をしているのだから、きっと親友だよね」と。

「私立大に通うエリさん（一九歳）の口癖は「どう思う?」。好きか嫌いかを断言しないのは当たり前。語尾に「かも」を付けてぼかしても、まだ不安。みんなと違ったらどうしようか、と。〔中略〕飲み会ではちゃんと、はしゃげているか、もうひとりの自分がチェックする。「気がつくと、本当の自分がどこにあるのか、自分でもわからなくなりそうになる。疲れます」」（「死に至る訳」『AERA』二〇〇三年八月一八―二五日号）。この言葉にも表われているように、小宇宙化した日常世界の内部でも、相手に合わせた自分を演じようとすることで、現実の人間関係を嘘っぽいと感じるような感覚が強くなっていく。

「優しい関係」の下では、自分の価値判断と葛藤を起こさないような相手が求められているのだから、それは真の意味での他者ではなく、そこにはリアルな現実も存在しない。それは、いわば虚構化された現実である。リアリティへの回帰をめざして閉じられた人間関係を待っていたのは、じつはリアリティの欠落した現実らしからぬ現実だった。皮肉なことだが、「優しい関係」のキッさが人間関係に偽りの感覚を招き、その感覚が現実からリアリティを削いでいるのである。

ここで、大澤の巧みな表現を再び借りておこう（『不可能性の時代』）。「他者は、脅威とならない限りで、予想外の攻撃性や暴力性を発揮しない限りで、つまりは他者らしくふるまわない限りで、その存在を許されているのだ。端的に言えば、この場合の他者とは、「他者（性）抜きの他者」である。あるいは、こんなふうに言い換えてもよい。他者は、われわれに過度に近づかない限りで――「われわれ」にとっての侵害とならないほどの距離をおいている限りで――存在を許されている、と。そして、一般に、様々な事物に「現実」らしさを宿らせる要素とは、そこに孕まれている他者性（の痕跡）である。」

ひきこもり経験者の上山和樹は、自らの体験を綴ったブログのなかで、阪神・淡路大震災に遭遇したときの様子を生き生きと描いている（「Freezing Point」二〇〇六年一月一七日）。「『一万円札があってもおにぎり一個買えない』のが、異様に自由だった。《日常》が壊れて、死と隣り合わせだけど、自分を縛るものがない。息をするのに、「自分の肺で呼吸している」実感。規範に締め付けられた無感覚の呼吸ではない。〔中略〕何もないところに、他者といっしょに放り出されている。私は、当たり前のように「社会活動」した。〔中略〕震災時に重要だったのは、「飢える」ことと同時に、「日常が壊れた」ことだった。」

危機的な状況が、自分からも他者からも社会的な仮面をはぎとり、剝き出しになった個人どうしが触れあう。そのなかで、現実に対するリアリティも再構築されていく。しかし、その契機となりえたのは、いわば社会の外部からやってきた自然災害という絶対的で特殊な非日常性だった。

†自己期待値の高さと自己肯定感の脆さ

では、人間関係を狭い範囲で固定化し、日々の生活を社会から切り離すことでリアリティの回復を狙った人びとは、その試みが失敗に終わったとき、阪神・淡路大震災のような非日常の出来《しゅったい》を願って、再び「現実世界の全的な否定」を夢みるのだろうか。しかし、現代の若者たちは、それがけっして容易な企てではないことを、オウム真理教による最終戦争の失敗という教訓からも、すでに学びとっている。その結果が惨澹《さんたん》たるものだったことは、いまの若い世代なら誰でも知っていることだろう。

そもそも、絶対的な真理を語っているように感じられるどんなカルトの教義であっても、それは数ある選択肢のなかから自分が選んだものの一つにすぎない。したがって、その真理はじつは限定つきの世界観を前提として成立するものにすぎない。どんな価値を選んでも自由な現代社会では、いかに真正にみえる教義であっても、このような相対化の視線から逃れることはできない。

「現実世界の全的な否定」が限りなく不可能に近い企てだとしたら、その願望は自分自身へとはね返ってこざるをえないだろう。この現実世界を認識する自分の殺害をとおして、リアリティの欠落した現実世界を終結させるしか残された道はないと思ってしまう。そして、それを実際に可能ならしめているのが、昨今の若者たちの「優しい関係」の根底にある自己肯定感の脆弱さである。

佐伯は、一七八ページで紹介した「高自殺の時代」で、次のように述べている。「今日においては、人々は、自分が一定の役割を果たし、社会から、あるいは仲間から何かを期待されているという実感をなかなかもてなくなっている。これは中高年だけではなく、むしろ若い者にこそ顕著だろう。今日、多くの若者が、自分は社会から何かを期待されているとは感じない。その結果、自分がもはや必要とはされていないという感じ、あるいは自分は余計者だという感じ、こうした感覚が相当広く蔓延している。〔中略〕社会から何も期待されていない、自分の生は余計なものだという感覚からは、死の「形」も「意味」もでてはこない。」

現実世界に対するリアリティの欠落は、自らの存在根拠について周囲から何も期待されていないと感じてしまう彼ら自身の自己イメージの低さの帰結でもある。このような自己イメージを彼らが抱いてしまいやすいのは、ワーキング・プアの存在が大きな社会問題となっているように、若者の就労をめぐる近年の劣悪な環境に起因する側面も確かにあるだろう。しかし同時にそれは、社会からの期待の中身が市場経済的な尺度へと一元化されてきたからでもある。それとは裏腹に若者の側は、「純粋な自分」への憧れという形で、「潜在的な可能性を秘めた自分は高く評価されて当然だ」という内閉的な自己期待感を、周囲からの評価とは無関係に高めているからでもある。

彼らが抱く「自分は特別だ」という感覚は、具体的な人間関係のなかで自覚され、それゆえに社会的な根拠にもとづいて培われたものではない。ダイヤモンドの原石のごとく生得的に備わった実体であるかのように、ただ内閉的に思い込まれた特別感である。だから、いくら自分に対する期待値が高まったとしても、いや、むしろその期待値が高すぎるがゆえに、周囲から注がれる具体的な期待とのギャップも大きくなり、かえって自己肯定感を削いでしまう。そして、その欠落感を補うために「優しい関係」へと強迫的に依存し、自分を肯定的に承認してくれる理想的な他者を求めていかざるをえなくなる。

したがって、現実の人間関係に対して若者たちが抱く偽りの感覚、「これは本物の人間関係ではない」という違和感は、彼らのコミュニケーション能力が劣ってきたことによるのではなく、むしろコミュニケーションに対する彼らの期待値が上昇してきたことによる。言い換えれば、彼らの人間関係の実態が不純なものへと変質してきた結果ではなくて、むしろ純粋な関係への彼らの欲求が高まってきた結果なのである。ネット集団自殺という特異な形態は、その渇望感を鮮やかに示しているように思われる。

「本当の家族が欲しい」という遺書を残してネット集団自殺を試み、未遂に終わったある若者は、「人の心がわからないし、すごく怖いんです。だからもう家族には何も求めません。どうせ、みんな本音でなんて話していないし、家族なんて何のためにあるんだろう、って私はいつも思うんです」と語る（渋井『ネット心中』から重引）。しかし、そう嘆きつつも、彼女はけっして家を捨てようとはしない。それは、この違和感が、関係性に対する彼女の期待の高さの裏返しであることを物語っている。実際、彼女は次のようにも告白している。「本当は父親も母親も信じたい。信じられない気持ちと、信じたい気持ちのあいだで揺れ動いていているんです」と。

†自殺衝動でつながった高純度の関係

ネット集団自殺のある未遂者は、「ネットは現実と違い、考えが合う人だけを選んでやりとりができる。自殺を肯定する人たちが集まってしまった」と語っている(「追跡ネット自殺2」『毎日新聞』朝刊、二〇〇三年八月二八日)。しかし、ここで語られている「考え」の合致とは、「自殺を肯定する」というその一点についてだけのものである。それ以上の中身は問われていない。たとえば、自殺を志願するに至った動機や、その苦悩の中身についての「考え」はまったく省みられていない。

ネット集団自殺のこのような特徴について、芹沢は、一八一ページで紹介した「ネット心中を考える」で、「かかわりからみた場合、幇助の意味はここでは、単に体としていっしょにいるだけというところまで拡張されている。こうした事態は、自殺志願者の側に身を置いてみると、相互のかかわりを最小限にしたいという気持ちの表れとして捉えなおすことができよう。お互いが他人のまま、それぞれが単独者として死へ赴きたい、そのように彼らが考えていることが伝わってくる。各自は死ぬ動機も別々なら、死んでから行く場所もまた別々なのだ」と解釈している。

確かに、集団自殺を企てる人びとがネット上で交わす話題のほとんどは、自殺を決行する方法についてのものである。互いの内面に立ち入った会話は見受けられず、むしろそれを避ける傾向さえうかがえる。そのことだけから判断すれば、彼らの人間関係はまったく希薄で、互いに孤立しているようにも見える。しかし、そうした関係の裏では、じつはある独特のリアリティが求められているのである。

ネット集団自殺を企てる仲間は、「自殺を肯定する」という一点のみを絆として築かれた関係である。しかし、死という絶対的で純粋な接点だけでつながっているからこそ、純粋な関係と彼らが感じうるようなリアリティがそこに成立することになる。互いの内面的な問題について彼らがあまり触れたがらないのは、それにともなってさまざまな雑音が侵入してくるのを避け、互いの関係における純粋さのリアリティを保つためである。

コミュニケーション・メディアとしてのインターネットは、相手との関わりを特定の一点だけに絞り込むのに都合がよい。前章で触れたインティメット・ストレンジャーのように、本音を互いに理解しあえるような理想的な関係がネット上には形成されやすいから、自殺衝動を共有する仲間がそこに集まってくるのではない。そうではなくて、自殺への衝動という漠然とした、しかし純粋な感覚だけを共有することがネット上では可能なために、理想的な関係がそこに成立しているかのように感じられるのである。

ネット集団自殺を企てる人びとが、ネット上の人間関係に純粋なリアリティを見出すのは、けっしてバーチャルな世界を現実の世界と混同しているからではない。バーチャルな世界では、情報量とその中身を操作しやすく、純粋な関係の見かけが現実の世界よりも保たれやすいからである。その関係に具体的なかたちを与えてくれる他者をバーチャルに想定することで、純粋さのリアリティが確保されやすいからである。

しかし、虚構の世界を現実であるかのようにふるまえるのは、ネット端末の向こう側に生身の他者がいるからでもある。だから、それが虚構の関係であることを知りながら、あたかもリアルな関係であるかのようにふるまうことができる。大澤が『虚構の時代の果て』で指摘するように、「人が虚構に準拠して行為するのは、その当人が、問題の虚構を（現実と）信じているからではない。そうではなくて、その虚構を現実として認知しているような他者の存在を想定することができるからなのである。」

そして、このような事情は、ネットの向こう側にいる相手にとっても同様である。向こう側の人間もまた、こちらを「その虚構を現実として認知しているような他者」として認識している。ここで重要なポイントは、「その虚構を現実として認知している」かのように相手がふるまっているという事実こそが、虚構の現実化を互いに可能にしているという点である。相手が本気で「その虚構を現実として認知している」かどうかは問題ではないし、むしろ虚構の現実化を可能にするためにはそれが問われてはならない。「その虚構を現実として認知している」かのようにみえる相手のその態度こそが、虚構のリアリティを支えるための基盤となっている。

したがって、純粋な関係の見かけを形式的に支えてくれる他者は、生身の存在であると同時にバーチャルな存在でもなければならない。その存在感はありありと迫ってくるけれども、しかし具体的な意味は孕まない不特定の他者でなければ、先述したようにたちまち相対化の対象とされてしまい、その関係に嘘っぽい感覚が生じてしまうからである。このような特殊な関係のあり方を、大澤真幸は「アイロニカルな没入」と呼んでいる（「政治的思想空間の現在〈前篇〉」『世界』二月号、二〇〇六年）。

†「スタジオの観客」と「泣き女」

大澤が右の論考で示した巧みな例を借りて説明しよう（前掲論文）。たとえば、テレビのバラエティ・ショーでは、しばしば「スタジオの観客」も画面に映し出される。なぜなら、仕事で疲れ切っているなどさまざまな事情で今ひとつ番組に没入できない視聴者に対して、ショーを観覧している気分を盛り上げてくれる存在だからである。スタジオで盛り上がっている彼らのすがたをつうじて、視聴者もまたそのショーを楽しんだ気分になれる。ここには、ある種の民族が有する「泣き女」と同じ機能がある。「泣き女」は葬式に参加し、他の参列者の代わりに泣き悲しんでくれる。そのことによって、葬式の手配などで忙しく立ち働き、実際には泣く暇さえなかった参列者たちも泣いた気分を味わうことができる。

ここで留意すべきなのは、「スタジオの観客」と視聴者のあいだには、そして「泣き女」と葬式の参列者のあいだにも、なんら実質的な交流はないという点である。もし、そこに実質的な交流が生じてしまえば、純粋な関係の形式的な見かけはとたんに破壊される。そこに何らかの意味が孕まれることになるからである。スタジオの観客は、あくまで笑っているように見えていることが重要なのであって、本気で笑っているか否かは問題ではない。むしろ、そこに何らかの交流が生まれ、たとえばそれが笑っているフリにすぎないことがあらわになると、「アイロニカルな没入」は成立しなくなってしまう。「泣き女」にしても、ただ泣いているそのすがたのみが重要なのであって、なぜ泣いているかがそこで問われては元も子もなくなってしまう。

ここから明らかなように、ネット上で募られる自殺仲間も、「スタジオの観客」や「泣き女」とほぼ同じ役割を果たしている。あたかも純粋な関係が成立しているかのようにふるまう他者の存在が、あたかも純粋な関係が成立しているかのように自分もふるまうことを可能にする。その結果、集団自殺の絶対的な純粋さも極められていく。したがって、その関係の純粋さを相手がどこまで確信しているかは問題ではないし、それを確認しあうような実質的な交流も必要ではない。

ネット集団自殺では、一緒に死へと向かう仲間がいるという事実だけが、純粋な関係の形式的な見かけを保証してくれる。そこで求められる仲間は、具体的に何を考え、なぜ死にたいのか、その個々の事情に共感でき、その理由に共鳴できる人間ではない。自殺を志願するに至った背景が問われることで、その人間関係に具体的な意味が孕まれてしまうと、それは日常の関係となんら変わらなくなってしまう。それでは、互いの関係の内実を問題にせざるをえなくなり、純粋な関係の見かけは損なわれることになるだろう。

このように、まず具体的な人物が存在し、その相手とのあいだに純粋な関係が期待されるのではなく、まず純粋な関係への期待が存在し、その期待に沿うような他者がバーチャルに求められる。これがネット集団自殺の特徴である。従来の心中では、特定の相手との永続的な関係がまず求められ、その想いが心中に純粋さの色彩を与えてきた。それに対し、ネット集団自殺では、まず純粋さへの憧れが当事者の側に存在し、その想いを満たす手段として相手が求められる。だから、その相手は無色透明な他者でなければならない。それは、いわば自己の欲望の投影であり、その意味で自己の分身のようなものだからである。

ネット上に構築された純粋な関係は、しょせんはバーチャルなものだから、いずれは現実世界とのあいだで破綻を免れない宿命にある。ところが、互いの死を前提としたその関係では、現実世界の生そのものが完全消去の対象である。したがって、バーチャルなはずの理想的な関係が永遠に保たれ、その純粋さがいつまでも続くかのように錯覚することができる。しかも、もし自殺の決行前に多少なりとも踏み込んだ交流がそこに生まれ、純粋な関係の維持が難しくなった場合には、いとも簡単にその集団を解消し、別の関係へと乗り換えることもできる。それは、ネットを介したバーチャルな関係だからである。

このような意味において、ネット集団自殺とは、極端に純化された純粋な関係という究極の虚構をあえて経由することによって、虚構化してしまった現実世界を逆に全否定し、「現実の中の現実」へと〝サバイバル〟しようとする試みといえる。リアリティを逆説的に回復する手段として、単独自殺ではなく集団自殺が選ばれ、しかもその試みにおいて純粋な関係がきわめて重視されるのは、生のリアリティの希薄さが、日常生活においてはその純粋な関係の対極に当たる「優しい関係」の嘘っぽさとして実感されているからである。だから、「現実の中の現実」へと接近するために、純粋な関係という虚構をあえて経由する必要が出てくるのである。

†現実世界とネット世界の融合

ネット集団自殺は、見知らぬ他人との偶然の出会いに究極の必然性が感じとられ、実質的なコミュニケーションの欠落したところに純粋な関係が求められているという点において、コミュニケーションへの没入が過剰に煽られている現代社会を裏側から照らし出した現象といえる。では、「現実らしさ」の強度を欠いた虚構的な世界から抜け出す方策を他に見出せないまま、ネット集団自殺は今後も続いていくのだろうか。そうは思えない。なぜなら、ネットをめぐるリアリティのほうが大きく変容しはじめているからである。

これまでは、ネット環境の基盤を整備していくIT草創期だったために、現実世界とネット世界とのあいだにはかなり明確な境界線が存在していた。だからこそ、リアルな世界とバーチャルな世界を対比させながら考察することも可能だった。しかし、今日の若者たちのあいだに進行しつつあるのは、むしろ両者の融合という新たな事態である。

たとえば、浅野智彦はこう指摘する（「即自的コミュニケーションへと変化する「表現」『月刊少年育成』一二月号、大阪少年補導協会、二〇〇五年）。現実世界における「身近な他者との関係はブログを介することによって重層化し、ますます濃密なものとなっていく。すなわち、他者がブログを読んでいることを前提に交流がなされ、その交流の中から生じたいくつかのエピソードが再びブログで取り上げられ、それがまた次の交流の前提となり…といったようにである。」

このような傾向を考える上で、次のエピソードはきわめて示唆的である。「三五〇年後、内戦とモンスターに脅かされる地球に似た星。そこで巡り合った怪力の巨人と魔法使いの妖精。冒険を続けるうち、二人は愛し合い、結ばれた――。話の前半はオンラインゲーム「エターナルカオス」の世界。後半は大阪市の会社員、西口雅也さんと妻真純さんとの、現実の話。二人はこのゲームで知り合い、今年二月に結婚した」(『朝日新聞』朝刊、二〇〇六年六月一一日)。見知らぬ二人が出会い、親密な感情を互いに高めていったのは、オンラインゲームというバーチャルな空間においてだった。

ネットにおける人間関係は、現実世界におけるそれとは別の次元で成立する比重を低め、むしろ後者に組み込まれる形での両者の融合が始まっている。言い換えれば、現実世界における人間関係の多元化と重層化をさらに進める方向に、ネットが機能しはじめている。現実世界におけるコミュニケーションのチャンネルの一つとして、ネットが使われる頻度が急速に高まっているのである。

このことは、もはやネットが、純粋な関係の構築に適合した空間とはみなされにくくなってきたことを意味している。むしろ、コミュニケーションのチャンネルを重層化することで現実の人間関係をさらに複雑にし、その嘘っぽい感覚を強めるものとみなされやすくなってきたことを意味している。そして、その傾向をさらに加速させているのが、とりわけ若年層のあいだに広がっている親密な関係に対する感受性の変化である。

辻大介らが二〇〇一年に行なった調査によれば、「親友とはお互い性格の裏の裏まで知っている」と、「友人の職業や所属は必ず知っておきたい」という質問項目のあいだに、年齢による明確な違いが見てとれる。五〇代以上の年齢層では、両者の関係が比例しているのに対して、二〇代から四〇代の層では、そこに関連性が見られない（「「失われた十年の後に」向けて」青少年研究会、二〇〇六年六月二四日、配布資料）。この点について辻は、「年配層では、相手の内面・性格を知っていることと、相手の社会属性を知っていることが連動する（ある程度、一つの軸で捉えられる）のに対し、若年層では連動しない（それらを別の軸で捉えなくてはならない）」と解釈している。

日常生活においてある特定の相手に親密な感情を抱くことと、その人物の社会的な属性をよく知っていることとは、かつてのようには連動しなくなっている。互いの職業や学校などをあまり詳しくは知らなくても、親密な関係が成立しやすくなっている。このような感受性の変化は、現実世界とネット世界とのあいだに明確な境界線が存在した時代には、インティメット・ストレンジャーのようにバーチャルだけれども親密な他者の成立を促したかもしれないが、今日のように両者の融合が始まると、たとえばオンラインゲームで知り合い、結婚した二人もそうだったように、現実世界へのネット世界の繰り込みをむしろ促すことになるだろう。

†ネット空間へ染み出す「優しい関係」

第四章で述べたように、近年の自己の断片化を反映して、ケータイ・メールでつながる相手もその時々の気分で切り替えられるようになっている。ネット上に開設されたプロフも、現実の相手に応じて複数のものが使い分けられている。また、ミクシィのようなSNS上に日記を書く一方で、同じ出来事について別の視点からブログ上にも日記を書き、相手に応じて複数の日記を同時に呈示し分ける人びとも増えている。

このようにインターネットは、「虚構化された現実」から「より現実らしい現実」へと逃避する手段としては、もはや有効性を失ってきている。むしろ、コミュニケーションのチャンネルの多層化を容易ならしめることによって、現実から現実らしさをさらに奪い、その虚構化を推し進めるものとして作用しはじめている。そのため、現実世界における「優しい関係」が、いまやネット上でも強く求められるようになっている。

たとえば、リストカットを繰り返す少女たちが自らの気持ちを綴るネット掲示板やブログでは、いわゆる自罰傾向を示す語りがこのところ急速に増えている。それは、彼女たちの自己肯定感の低さを表わしたものであると同時に、そのような書き込みしか許されないと感じてしまう彼女たちのマナー意識の反映でもある。「自分がリストカットを繰り返すのは、周囲の誰が悪いわけでもなく、自分自身が至らないからだ」と、彼女たちが語らざるをえないのは、相手に負担をかけない「優しい関係」を営んでいく上で、それが相互に期待された語りであることを自覚しているからだろう。自らを守る最善の策であることを熟知しているからだろう。ここには、第一章で触れたように、「優しい」遺書を残して自殺していった、いじめの被害者たちと同様のメンタリティを見出すことができる。

このような事態が進むなかで、生のリアリティの回復を願う人びとが、ネット集団自殺という手段を積極的に採用する根拠は薄まってきている。今後、ネット集団自殺が減っていったとしても、それは、現代を生きる若者たちの抱え込んだ生きづらさが解消されたからではない。そうではなくて、問題を解決する手段として、ネットが有効なものとは認識されなくなっただけである。

一方では、過剰な選択肢を目の前に呈示され、その可能性の重圧を前にして立ちすくむ現代人の苦悩を浮かび上がらせているという点において、他方では、市場経済的な対人能力の有無によって短絡的に「人間力」を測り、一元的なコミュニケーションへの没入を煽り立てる社会の特徴を照らし出しているという点において、たとえ現象としては目立たなくなったとしても、ネット集団自殺はいまだに重要な示唆を私たちに与えてくれる。生のリアリティの空白という現代に特有の生きづらさは、その具体的な表われ方を変えて、今後は別の位相へと漏れ出していくかもしれない。しかし、それが「自由の過剰さ」に由来するものである以上、そこには新たな希望へとつながっていく可能性が秘められてもいるだろう。

おわりに

†「自分らしさの檻」からの脱出へ

ミスター・チルドレンは、「名もなき詩」（一九九六年）のなかでこう歌っている。「あるがままの心で生きようと願うから／人はまた傷ついてゆく／知らぬ間に築いていた自分らしさの檻の中で／もがいているなら誰だってそう／僕だってそうなんだ」

ここには、現代の若者たちの生きづらさがどのような性質のものなのか、その特徴がストレートに表現されている。あるがままの心、すなわち純粋な自分で生きようと願えば願うほど、かえって人は傷ついていく。昨今の若者たちが自分の居場所をしきりと気にするのも、おそらく自分に対して内閉的なまなざしを注ぐようになっているからだろう。居場所のなさとは、期待した自己承認が得られないときに生じる感情だから、もし我を忘れて無我夢中になれるものが外部にあれば、居場所を気にすることもなくなるにちがいない。そして、純粋な自分に対する過剰なこだわりからも解放されるにちがいない。

第四章で引用した天童荒太の『包帯クラブ』には、次のように示唆的な一節もある。「この世に生まれるとき、みんなが手に握っているはずの真珠の粒を、あやまってどこかへ落としてしまったような、『どうして、わたしにはないの』と泣きながら訴えたいほどの、やるせない喪失感で胸がしめつけられる。」光り輝いている真珠の粒を、誰もが手に握って生まれてくるはずだという、生まれもった自分への思い込みが強ければ強いほど、そんなものなど見出せない現在の自分のすがたに直面したとき、その喪失感もまたそれだけ大きなものとなるだろう。社会生活のなかで真珠へと成長させていくための核を、自らの殻の内部にこれから仕込もうと考える余裕もなく、ただ喪失感に打ちひしがれたままになってしまうかもしれない。

カルチャースタディーズ研究所を主催する三浦展によれば、団塊の世代では、経済階層の高い人びとほど「自分らしさ」志向が強いのに対して、団塊ジュニアの世代では、逆に経済階層の低い人びとほど「自分らしさ」志向が強いという（『下流社会』光文社新書、二〇〇五年）。団塊の世代がめざした「自分らしさ」は、あくまでも社会的な根拠という羅針盤を自分のなかに取り込むことを前提とした上での個性の実現だった。だからそれは、経済的な地位を押し上げる方向に作用したのだろう。それに対して、団塊ジュニアの世代がめざす「自分らしさ」は、その根拠を自らの内面世界や身体性に求める脱社会的なものである。だからそれは、社会的スキルの獲得へと結びつきにくく、結果として、経済的な地位に対しても有効に作用してこなかったのではないだろうか。

では、このような「自分らしさの檻」から脱出し、豊かで安定した自己肯定感を培っていくためには、どのような方策が有効なのだろうか。当然のように考えられるのは、自分を世界の中心に置くのではなく、逆に自分を相対化する視線を身につけることだろう。そのためには、いま流行《はや》りの自己分析などではなく、むしろ意外性に満ちた体験や、異質な人びとと出会う経験の積み重ねこそが重要なはずである。

詩人、谷川俊太郎の作品は、過去から現在に至るまでつねに個性的でありながら、同時に高い普遍性を有している。その理由について、彼はこう語っている（『朝日新聞』夕刊、二〇〇五年一二月二〇日）。「ある時期から自己表現というものを信じなくなったからです。自分を空っぽにして日本語の世界を歩き、その豊かさを取り入れたくなった。自分より日本語の総体の方が豊かだから。」

もっとも、今日の若者たちが似たもの同士で固まる傾向を強めてきた背景に、本書で考察してきたような社会的根拠があるとすれば、意外性に満ちた体験や異質な人間と出会う経験の重要性をいくら叫んでみたところで、それは現実の諸条件を無視した「悪しき啓蒙」にすぎなくなってしまうだろう。では、その隘路《あいろ》を逃れつつ、なお「自分らしさの檻」から抜け出すための方策はどこにあるのだろうか。

†生きづらさと正面から向きあう

ここで、現代の若者たちが生きづらさから解放されるべき手段をさらに探り、もし可能なら、その具体的な道程のプランを提示すべきなのかもしれない。しかし、本書の冒頭でも述べたように、私は、生きづらさそのものから彼らが解放されるべきだとは、じつは思っていない。生きづらさからの解放が、真のユートピアへの道になるとはとうてい思えないからである。生きづらさのない人生など、まさに現実らしからぬ現実だからである。

生きづらさの徹底的な排除をめざそうとすれば、おそらくその帰結は、R・ブラッドベリの描いたSF小説『華氏四五一度』のような世界になるだろう。確かにそこには、人生の悩みもなければ、心の痛みもないだろう。あるのは、日々の享楽と退屈だけである。しかし、そのような現実らしからぬ現実を生きて、私たちが本当に幸せを感じるとは思えない。そこに魅力的な世界が広がっているとは思えない。それでは、ただ機械的に反射作用を繰り返すだけの下等動物とどこが違うといえるだろうか。『華氏四五一度』には、次のような印象的な一節がある（宇野利泰訳、ハヤカワ文庫、一九七五年)。「ぼくたちが幸福でいられるために必要なものは、ひとつとして欠いていません。それでいて、ちっとも幸福になれずにいます。それには、なにかが欠けているにちがいありません。」「かつての若者たちのほうがひたむきだった」とか、「かつての若者たちのほうが幸せだった」などと、かつての若者である現在の大人たちは、自らの過去を美化して語りがちである。私もまた、かつての若者の一人だから、その誘惑に負けそうになってしまう。しかし、よく考えてみれば、かつての若者たちもまた、その時代なりの生きづらさを抱えて生きてきたはずであり、本書の第二章や第三章では、その一端を描いたつもりである。

確かに、かつてと現在とでは生きづらさの中身は大きく異なっている。しかし、それぞれの時代の若者たちが、それぞれの生きづらさを抱えて生きてきたことには違いはないだろうし、その事情はおそらく今後も変わらないだろう。現在の大人たちが、人生の意味に大いに苦悩した青年期を振り返って、あの時代はよかったと語るのなら、これから近い将来に青年期を脱していく人びとも、いまから何年後かにこの時代を振り返ったとき、あの頃はよかったと語るのかもしれない。

生きづらさを抱えながら生きることは、世界をただ漠然と生きるだけでなく、その世界に何らかの意味を求めざるをえない人間の本質である。したがって、生きづらさの放棄は、人間であることの放棄でもある。むしろ、いま何かを問うべきだとしたら、それは、『華氏四五一度』のような世界へと逃避してしまうことではなく、いかにこの生きづらさと正面から向きあい、むしろ人生の魅力の一部としてその困難をじっくりと味わっていけるのか、その人間らしい知恵のありかについてだろう。

そして、じつはそれを問い続けることこそが、ひるがえってみれば「自分らしさの檻」から解き放たれ、「優しい関係」から抜け出すことにもつながっていくのではないだろうか。私たちが下等動物のように反射作用だけで生きることなく、意味の豊かな世界で人間らしく生きていくための道はそこにしかないだろう。しかし、その課題は、明らかに本書の射程を大きく超えている。むしろ、本書がその問いを考えるためのきっかけになれば、著者としては過分の幸いである。

†比類なき「優しい」人びとの時代

もっとも、現代の若者たちの生きづらさを語るキーワードとして、本書で取り上げた「優しい関係」がどこまで通用しうるのか、いささか心もとない部分もある。とりわけ、格差社会化をめぐって進行しつつある昨今の若者の生きづらさについては、本書ではまったく触れることができなかった。この数年のあいだに、若者の文化やメンタリティの問題として語るよりも、むしろ社会構造上の疎外という伝統的な分析枠組によって語るべき課題が、わが国にも増えてきたことは重々承知している。

本書で扱ったような人間関係に由来する生きづらさについて語るとき、これまでその象徴的な存在だった雨宮処凛の著作が、『生きさせろ！』（太田出版、二〇〇七年）の出版以来、若者の格差問題をテーマにしたものへと移行してきているという事実は、まさにこの時代の転換を象徴しているのかもしれない。それに対して、格差問題にはまったく触れずに論を展開させた本書の考察が、はたして現代の若者論としてどこまで有効でありうるのか、その可能性と限界については、ぜひ読者の皆さんのご判断を仰ぎたい。

ただ、一言だけ付け加えておくなら、あくまで問題の根本的な原因が就労構造にあることを認めた上での話だが、不安定雇用に就いている若者たちは、そうでない若者たちと比べて、一般に人間関係の範囲が狭く、それが彼らの就職活動を困難な事態に追い込んでいるという調査報告もあることを指摘しておきたい（堀有喜衣編『フリーターに滞留する若者たち』勁草書房、二〇〇七年）。ごく狭い範囲で固定化された関係を生きている人びとが、豊富な人的資源を有効に活用できる人びとより、不利な状況に置かれがちなことは容易に想像できる。しかも、就職時に特定の人間関係への依存度が高ければ、その関係から離脱することはさらに難しくなるだろう。その点、このところ非正規雇用の若者たちが、プレカリアートの名の下に互いの連帯を強めつつあるのは、非常に嬉しい動きである。

また、昨今の格差社会化の背景には新自由主義の影響があるともいわれる。新自由主義は、新（ネオ）と冠がついているように、従来の自由主義（リベラリズム）と同じではない。むしろ、自由至上主義（リバタリアニズム）の色彩が強い。そして、私の見解では、本来のリバタリアニズムが決定論に否定的な立場をとっていたのに対し、我が国における新自由主義の浸透は、生得的な属性にウエイトを置く決定論的な人間観の広がりと密接に連動している。したがって、本書で扱った問題群も、そして格差社会化の進行も、じつは根を同じくする現象と考えられる。では、今日の新自由主義は、決定論的な人間観と具体的にどのような関係にあるのか。そもそも、そのような人間観が急速に広まってきたのはなぜなのか。その問いに答えることが、今後に残された私の課題である。

さらに、言葉に対する信頼が揺らいでいるのは、なにも若者に限った現象ではないことも指摘しておくべきだろう。ワンフレーズ・ポリティクスと揶揄《やゆ》されながら、しかし大いに人心を掴んだ「小泉劇場」もそうだったし、その後を継いだ安倍内閣による政権運営でも、それに対抗した民主党の政権公約でも、勇ましいだけで一貫性を欠いた言葉が次々と連発されてきた。イメージばかりを重視した威勢のよい言葉が羅列されることで、かえって言葉の重みが失われてきているように感じられる。その証拠に、あれだけ「やめない」と言い張っていた安倍前首相は、その舌の根も乾かぬうちに早々と辞任してしまったし、大衆の面前で「やめる」と大見得をきった小沢民主党代表は、いまだに代表に留任したたままでである。そして、このような言葉の軽薄化の背後にも、じつは決定論的な人間観の広がりがあるように、私には感じられる。

これは他人事ではない。私自身にしても、本書で述べてきた若者のメンタリティの半分は、自分にも当てはまることを率直に認めておかなければならない。すでに若者としては薹《とう》が立っており、彼らとメンタリティを共有しているなどと表だっては気恥ずかしくて言えないが、本書のような若者論が私に書けたのは、この歳になってもいまだに成熟したという実感をもてないまま、なかば自分自身について考えたものだからである。その意味で、本書は、最近の若者風俗を取り入れてはいるが、半分は自分語りの書でもある。生きづらそうな若者たちを目にしたとき、なんとなく彼らに親近感を覚えるのは、そこに自分のすがたを投影しているからなのかもしれない。

したがって、思想や信条に依拠した社会的な自己と、生理的な感覚に根ざした脱社会的な自己を、本文中では対比させて論じているが、それは、それぞれの世代で生きづらさの根拠が異なっていることを指摘するためであって、前者のほうが後者よりも素晴らしい自己のあり方だなどと単純に礼賛しているわけではない。もっとも、私はかつての若者の一人でもあるから、そこにアンビバレントな感情が付きまとってはいるものの、前者に肩入れをしたい気持ちが文章の端々に滲み出ていることも、ここで正直に認めておかなければならないだろう。

しかし、それと同時に、どちらの自己のあり方も、それぞれの時代の社会状況に正常に適応した結果であることを忘れてはならない。脱社会性もまた社会化の一形態であり、時代の変数なのだから、そこに優劣をつけようとすること自体がそもそも無意味である。さらに、思想や信条といった言葉の世界への信頼は、それが過度になると、人を攻撃的な存在に変えうることも銘記しておくべきだろう。これまで世界各地で勃発してきたさまざまな惨劇を思い起こしてみれば、そのことは明らかである。若者問題に話を限定しても、イデオロギーを大義名分に過激な闘争に明け暮れた全共闘の青年たちや、社会に対する憎悪を示すために、あるいは仲間への忠誠を確認する手段として、凶悪な犯行を繰り返したかつての非行少年たちを振り返ってみればよい。「優しい関係」を生きる現在の日本の若者たちは、このような点から見ても、まさに比類なき「優しい」人びとなのである。

＊

本書は、「優しい関係」をキーワードに、この数年間さまざまな媒体で発表してきた論考を整理したものである。したがって、本書の多くの部分にはすでに活字になっている下敷きがある。しかし、統一したテーマの下で本書をまとめるにあたり、どの論考もいったん解体した後に再構成している。また、その過程でかなりの部分に手を加え、書き直してもいる。その意味で、本書は論文集ではなく、基本的に書き下ろしのつもりである。もっとも、下敷きとなった論考のストックがなければ、このようなかたちで本書をまとめることができなかったのも事実である。各論考の内容には大幅な改変が施されており、もとの形態をとどめていないため、それらのタイトルと掲載先をいちいちここで列挙することは差し控えたいが、これまで発表の機会を与えてくださった多くの方々に、この場を借りてお礼を申し上げたい。

また、格段と厳しさを増す昨今の大学の環境のなかで、少しでも良好な教育と研究の体制を確保するべく、いつも共闘している筑波大学の仲間の皆さんにも感謝の気持ちを表わしておきたい。私たち仲間のあいだには共通の実現目標があるので、少なくともそこに「優しい関係」は成立していないはずである。この恵まれた環境がなければ、本書をまとめる時間もとうてい生み出せなかったと思う。(という配慮の示し方こそ「優しい関係」そのものではないのか、という声が聞こえてきそうな気もするが、本書の半分は自分語りでもある点をご考慮いただきたい……)

そして、若者の年齢から遠く隔たってしまった私に、いつも新鮮な若者の話題を提供してくれる筑波大学の学生の皆さんにもお礼を申し上げたい。さらに、非常勤講師として担当した授業のなかで、最新の情報を数多く与えてくれた早稲田大学、立教大学、甲南女子大学、東京大学の学生の皆さんにもお礼を申し上げたい。皆さんから授かった生き生きとした最前線の知識がなければ、おそらく本書はもっと無味乾燥なものになっていたにちがいない。もし、本書に少しでもリアリティを感じとることができるとしたら、それはひとえに皆さんのおかげである。

筑摩書房の石島裕之さんにも大いにお世話になったことを述べておきたい。拙著『〈非行少年〉の消滅』に関心をおもちいただいたのをきっかけに、新書を執筆してはどうかとお声をかけていただいたのはもう数年前のことである。それ以来、石島さんからの幾度にもわたる粘り強い励ましがなければ、要領が悪い上に遅筆でもある私が、本書をまとめることはできなかったかもしれない。また、ともすると論文調の硬い文章になりがちな私のくせを一字一句チェックしてくださったおかげで、少しは分かりやすい文章に仕立て直すことができたのではないかと思う。それは、たいそう貴重な文章修業の時間でもあった。いささか過激な本書のタイトルも、生硬なものしか考案できなかった私に代わって、ついに業を煮やした石島さんが付けてくださったものである。執筆の機会を与えていただいたことと併せて、心からお礼を申し上げたい。

最後に、私事で恐縮ながら、私よりは幾らかでも若者に近い世代の立場から、原稿の段階で本書の最初の読者となり、適切なアドバイスを与えてくれた妻の百代にも感謝したい。

私自身は、本書の第二章で取り上げた高野悦子と南条あやの中間に位置する世代の人間である。したがって、先ほども告白したように、どちらにもなかば共感し、なかば違和感を抱く。そして、若い頃にはそれなりの生きづらさを抱えて、しばらくモラトリアムを決め込んでいた時期もある。バックパッカーのまだ少なかった時代に、第三章で触れた「外こもり」の真似事をして、インドのカルカッタにしばらく「沈没」していたこともある。

そもそも、本書のベースになっている社会学という学問に本格的な関心を抱き、大学院へ入り直す決意をしたのも、その生きづらさの正体を大局的な見地から見極め、問題への向き合い方をじっくりと考えたかったからである。そんなふうに人生を行きつ戻りつする私を、父の照敏と母の保江は、苛立ちを隠しながら適度な距離から見守り続けてくれた。その両親も、先月末には金婚式を迎えた。ささやかながら本書を記念に捧げたい。

いま私は、彼らが若かりし頃の生きづらさに思いを馳せている。半世紀前、いったい彼らはどんな苦悩と希望を抱きながら、三丁目の向こうに沈む夕日を眺めていたのだろうか。

二〇〇七年一二月

土井隆義

ちくま新書
710

友《とも》だち地《じ》獄《ごく》
——「空気《くうき》を読《よ》む」世代《せだい》のサバイバル

二〇〇八年三月一〇日 第一刷発行
二〇一三年八月一〇日 第一五刷発行

著者 土井隆義（どい・たかよし）
発行者 熊沢敏之
発行所 株式会社 筑摩書房
東京都台東区蔵前二-五-三 郵便番号一一一-八七五五
振替〇〇一六〇-八-四一二三
装幀者 間村俊一
印刷・製本 三松堂印刷 株式会社

乱丁・落丁本の場合は、左記宛にご送付下さい。
送料小社負担でお取り替えいたします。
ご注文・お問い合わせも左記へお願いいたします。
〒三三一-八五〇七 さいたま市北区櫛引町二-六〇四
筑摩書房サービスセンター 電話〇四八-六五一-〇〇五三

ISBN978-4-480-06416-5 C0236

ちくま新書

117 大人への条件　小浜逸郎

子どもから大人への境目が曖昧な今、人はどのように成長の自覚を自らの内に刻んでいくのだろうか。自分はなにものかを問い続けるすべての人におくる新・成長論。

218 パラサイト・シングルの時代　山田昌弘

三十歳を過ぎても親と同居し、レジャーに買い物に、リッチな独身生活を謳歌するパラサイト・シングルたち。そんな彼らがになう未成熟社会・日本のゆくえとは？

344 親と子の［よのなか］科　藤原和博　三室一也

NHK、朝日新聞で話題沸騰の〝総合学習〟のための［よのなか］科が、学校での授業だけでなく親子の食卓でできるガイドブック。子供がみるみる世の中に強くなる。

429 若者はなぜ「決められない」か　長山靖生

なぜ若者はフリーターの道を選ぶのか？　自らも「オタク」として社会参加に戸惑いを感じていた著者が、仕事観を切り口に、「決められない」若者たちの気分を探る。

487 〈恋愛結婚〉は何をもたらしたか　加藤秀一
——性道徳と優生思想の百年間

一夫一婦制と恋愛至上論を高唱する言説は、優生思想と表裏一体である。明治以降の歴史を辿り、恋愛・結婚・家族という制度がもつ近代性の複雑さを明らかにする。

511 子どもが減って何が悪いか！　赤川学

少子化をめぐるトンデモ言説を、データを用いて徹底論破！　社会学の知見から、少子化が避けられないことを示し、これを前提とする自由で公平な社会を構想する。

527 社会学を学ぶ　内田隆三

社会学を学ぶ理由は何か？　著者自身の体験から、パーソンズの行為理論、フーコーの言説分析、ルーマンらのシステム論などを通して、学問の本質に迫る入門書。

ちくま新書

649 郊外の社会学
——現代を生きる形
若林幹夫
「郊外」は現代社会の宿命である。だが、その輪郭は捉え難い。本書では、その成立ちと由来を戦後史のなかに位置づけ、「社会を生きる」ことの意味と形を問う。

659 現代の貧困
——ワーキングプア／ホームレス／生活保護
岩田正美
貧困は人々の性格も、家族も、希望も、やすやすと打ち砕く。この国で今、そうした貧困に苦しむのは「不利な人々」ばかりだ。なぜ？ 処方箋は？ をトータルに描く。

673 ルポ 最底辺
——不安定就労と野宿
生田武志
野宿者はなぜ増えるのか？ フリーターが「若者」ではなくなった時どうなるのか？ 野宿と若者の問題を同じ位相で捉え、社会の暗部で人々が直面する現実を報告する。

683 ウェブ炎上
——ネット群集の暴走と可能性
荻上チキ
ブログ等で、ある人物への批判が殺到し、収拾不能になることがある。こうした「炎上」が生じる仕組みを明らかにし、その可能性を探る。ネット時代の教養書である。

062 フェミニズム入門
大越愛子
フェミニズムは女性を解放するだけじゃない。男性にも生きる快楽の果実を味わわせてくれる思想なのだ。現代の生と性の意味を問い直す女と男のための痛快な一冊。

116 日本人は「やさしい」のか
——日本精神史入門
竹内整一
「やさしい」とはどういうことなのか？ 手垢のついた「やさし」を万葉集の時代から現代に至るまで再度検証しなおし、思想的に蘇らせようと試みる渾身の一冊。

166 戦後の思想空間
大澤真幸
いま戦後思想を問うことの意味はどこにあるのか。戦前の「近代の超克」論に論及し、現代が自由な社会であることの条件を考える気鋭の社会学者による白熱の講義。

ちくま新書

539 グロテスクな教養　高田里恵子

えんえんと生産・批判・消費され続ける教養言説の底に潜む悲痛な欲望を、ちょっと意地悪に読みなおす。知的マゾヒズムを刺激し、教養の復権をもくろむ教養論！

578 「かわいい」論　四方田犬彦

キティちゃん、ポケモン、セーラームーン――。日本製のキャラクター商品はなぜ世界中で愛されるのか？「かわいい」の構造を美学的に分析する初めての試み。

623 1968年　絓秀実

フェミニズム、核家族化、自分さがし、地方の喪失などに刻印された現代社会は「1968年」によって生まれた。戦後日本の分岐点となった激しい一年の正体に迫る。

689 自由に生きるとはどういうことか――戦後日本社会論　橋本努

戦後日本は自由を手に入れたが、現実には閉塞感が蔓延するばかりだ。この不自由社会を人はどう生き抜くべきか？　私たちの時代経験を素材に描く清新な「自由論」。

544 八月十五日の神話――終戦記念日のメディア学　佐藤卓己

一九四五年八月十五日、それは本当に「終戦」だったのか。「玉音写真」、新聞の終戦報道、お盆のラジオ放送、歴史教科書の終戦記述から、「戦後」を問い直す問題作。

680 自由とは何か――監視社会と「個人」の消滅　大屋雄裕

快適で安心な監視社会で「自由」に行動しても、それはあらかじめ制約された「自由」でしかないかもしれない。「自由」という、古典的かつ重要な概念を問い直す。

702 ヤクザと日本――近代の無頼　宮崎学

ヤクザはなぜ存在する？　下層社会の人々が生きんがために集まり生じた近代ヤクザ。格差と貧困が社会に亀裂を走らせているいま、ヤクザの歴史が教えるものとは？